UNOFFICIAL BOOK

아쿠아틱

서울문화사

저자 | **메건 밀러**

메건 밀러는 프리랜서 작가이자 편집자로, 마인크래프트 게임을 하면서 요새 쉽게 찾기, 사탕수수로 피라미드 짓기 등 늘 새로운 방식을 연구하고 있습니다. 대표작으로는 뉴욕 타임즈 베스트셀러인『Hacks for Minecrafters』 시리즈, 아마존 베스트셀러인『The Ultimate Unofficial Encyclopedia for Minecrafters』가 있습니다.

The Ultimate Unofficial Encyclopedia for Minecrafters: Aquatic:
An A-Z Guide to the Mysteries of the Deep
by Megan Miller

This Korean edition is published by arrangement with Skyhorse Publishing, Inc.
through Shinwon Agency Co., Seoul.

머리말

놀라운 바닷속 세계에 오신 것을 환영합니다.
이 백과사전은 마인크래프트의 바닷속 세계를 기념하기 위해 만들어졌습니다.
마인크래프트 초기 바닷속은 오징어밖에 없는 어두운 곳이었지만
지금은 돌고래, 산호초, 보물, 배, 폐허 등이 있는 놀라운 세상으로 발전했습니다.
(여러분이 육상 게임을 즐기는 마인크래프터라면
이 백과사전에서 바다를 정복하기 위해 알아야 할 자세한 정보를 얻어 보세요.
이 책은 마인크래프트 수중 세계를 시작할 때
꼭 읽어야 하는 책입니다.)

이 책은 마인크래프트 자바 에디션(1.13/1.14)을 기준으로 하고 있습니다.
베드락 에디션과 다른 부분은 따로 표시해 두었으며
'JE'는(2019년 기준) 마인크래프트 자바 에디션에 있을 때만 사용됩니다.
마찬가지로 'BE'는 베드락 에디션에서만 사용됩니다.
하지만 현재는 게임이 지속적으로 개발되면서 베드락 에디션과
자바 에디션의 기능이 거의 비슷합니다.

A

수중 업적 Achievements, Aquatic

베드락 에디션의 업적 시스템은 게임 속에서 90개 이상의 목표를 완수하는 것입니다. 발전 과제와 같은 업적 시스템은 새로운 플레이어에게 마인크래프트 기능을 소개하고 위더 없애기처럼 가장 어려운 과제에 도전하는 것을 장려하기 위해 설계된 것입니다. 현재 베드락 에디션 수중 발전 과제 목록은 다음과 같습니다.

어어이! Ahoy!: 게임에서는 '난파선을 찾으세요.'라고 나옵니다.

대체 연료 Alternative Fuel: 켈프(다시마) 블록으로 화로에 불을 때세요.

아틀란티스? Atlantis?: 해저 유적을 찾으세요.

조난자 Castaway: 인게임 시간으로 3일 동안 말린 켈프만 먹고 버티세요.

깊은 곳의 끝 The Deep End: 엘더 가디언을 처치하세요.

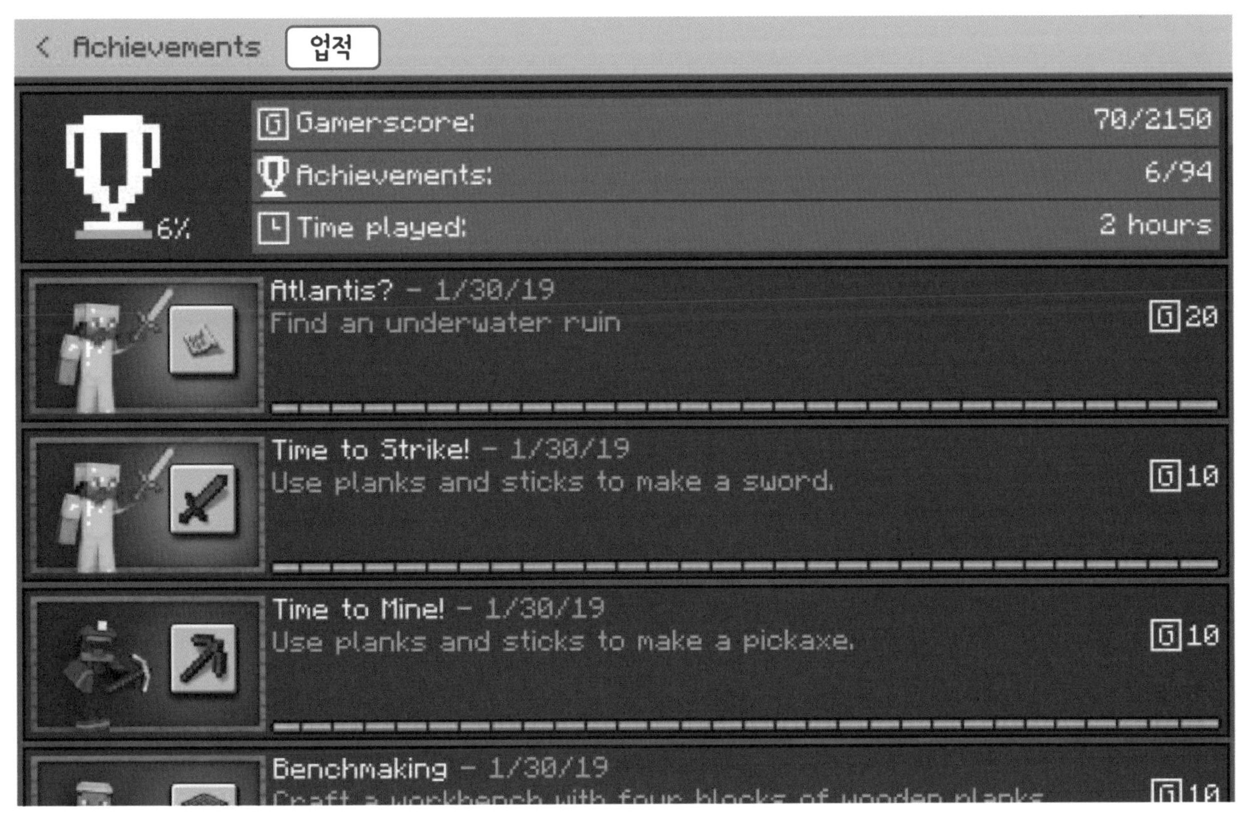

베드락 에디션에서 업적을 달성하면 흑백이었던 아이템이 컬러로 바뀝니다.

회전! Do a Barrel Roll!: 거친 해류를 사용해서 부스트해 보세요.

건조기 Dry Spell: 화로에서 스펀지를 말리세요.

초음파 탐지 Echolocation: 돌고래에게 먹이를 주고 보물을 찾게 하세요.

프리 다이버 Free Diver: 물속에 2분 동안 머무르세요.

얼음의 요정! Let It Go!: 차가운 얼음 효과가 있는 부츠를 신고 얼어 있는 바다 위를 1블록 이상 이동하세요.

나는 해양 생물학자 Marine Biologist: 양동이에 물고기 한 마리를 담아 오세요.

노다지! Me Gold: 묻혀 있는 보물을 파내세요.

거대한 소용돌이 Moskstraumen: 전달체를 활성화하세요.

해일, 해이, 그리고 해삼 넷 One Pickle, Two Pickle, Sea Pickle, Four: 해삼 네 마리를 그룹에 배치하세요.

일곱 바다 항해하기 Sail the 7 Seas: 모든 바다 생물 군계를 방문하세요.

모스크슈트라우멘

모스크슈트라우멘은 북유럽(스카디나비아, 노르웨이 등)에서 쓰는 말로 '거대한 소용돌이'라는 뜻입니다. 노르웨이 연안에 모스크슈트라우멘이라는 바다가 있는데, 강하고 위험한 소용돌이와 회오리 해류로 유명합니다.

물고기와 함께 보내는 밤 Sleep with the Fishes: 해저에서 하루를 보내세요.

수중 발전 과제 Advancements, Aquatic

수중 발전 과제는 마인크래프트 자바 에디션 도전 시스템으로 플레이하면서 완성합니다. 수중 발전 과제는 플레이어를 마인크래프트의 다양한 지역과 활동으로 안내합니다. 베드락 에디션에서는 업적이라고 부릅니다. 현재 마인크래프트 발전 과제 시스템 중에서 수중과 관련된 발전 과제는 4개뿐입니다. 그 가운데 두 개는 삼지창이 필요하고 나머지 두 개는 물고기를 잡는 것입니다.

자바 에디션 발전 과제 탭에서 아이콘 위로 마우스를 가져가면 발전 과제 제목과 설명이 표시됩니다.

준비하시고 쏘세요! A Throwaway Joke (모험 탭): 게임에서는 '무언가를 향해 삼지창을 던지세요.'라고 합니다. 이때 삼지창을 풀이나 조약돌 블록에 던지지 말고 몹에게 던지세요. 수동적인 몹이라도 상관없습니다.

동에 번쩍 서에 번쩍 Very Very Frightening (모험 탭): '주민에게 벼락을 떨어뜨리세요.' 즉, 삼지창에 집전 마법을 부여해 주민에게 던지세요. 집전 마법은 목표 대상자에게 번개를 소환시킵니다. 그리고 번개는 일부 몹을 사악한 변종으로 바꿉니다. 크리퍼는 더 강력한 크리퍼로 진화하고, 주민은 마녀로, 벼락 맞은 돼지는 좀비화 피글린으로 변합니다.

강태공이 세월을 낚듯 Fishy Business (농사 탭): '물고기를 잡으세요.' 낚시로 생선을 낚아도 되고, 아이템 상태의 생선을 낚싯대로 끌어와도 됩니다.

이 대신 잇몸으로 Tactical Fishing (농사 탭): '낚싯대 없이 물고기를 잡으세요!' 물 양동이를 들고 마우스 오른쪽 버튼을 클릭하면 물고기 몹을 잡을 수 있어요.

참고: 모험 탭을 표시하려면 몹을 죽이거나 몹에게 죽임을 당해야 합니다. 농사 탭을 표시하려면 그냥 아무거나 먹으면 됩니다.

말미잘 물고기 Anemone

말미잘 물고기는 마인크래프트에서 생성되는 22종의 열대어 가운데 하나입니다. 실제 말미잘 물고기를 모델로 삼고 있습니다. 마인크래프트의 말미잘 물고기는 주황색과 회색 줄무늬를 가졌습니다.

실제로 말미잘 물고기는 흰동가리라고도 불리며 약 30종의 작은 물고기들이 속해 있습니다. 말미잘 물고기와 말미잘은 서로 도와주는 사이입니다(그래서 말미잘 물고기라고 합니다). 말미잘은 산호와 친척으로 식물처럼 보이지만 자포동물입니다.

말미잘에는 물결에 흔들리는 촉수가 있는데 보통 촉수에는 독이 있습니다. 흰동가리는 말미잘 독에 면역이 있어서 촉수 사이에 숨어 있을 수 있습니다. 두 동물은 공생 관계로 서로를 각자의 적으로부터 보호하고 도와줍니다. 또 말미잘은 흰동가리를 쫓아온 작은 물고기를 잡아먹고, 흰동가리는 말미잘이 먹고 남은 물고기를 먹습니다. 흰동가리는 주황색과 빨간색인 경우가 많지만 노란색과 검은색도 있습니다. 줄무늬는 흰색인 경우가 많습니다.

함께 보기: 흰동가리, 토마토 흰동가리, 열대어

수족관 Aquariums

마인크래프트에는 수족관(양어장) 기능이 따로 있지는 않지만, 만들 수 있습니다. 양동이에 물고기 몹을 넣고 물이 차 있는 공간으로 옮기면 됩니다. 물고기를 옮길 때는 양동이를 들고 마우스 오른쪽 버튼으로 수족관의 물을 클릭하면 됩니다. 수족관 크기나 모양은 제한이 없습니다. 물고기가 살 수 있도록 물이 가득 차 있으면 됩니다.

함께 보기: 물고기가 담긴 양동이, 수족관 만들기 프로젝트

땅을 파서 해초, 불우렁쉥이, 켈프, 수련 잎, 열대어들을 한가득 넣을 수 있는 수족관을 만들어 보세요.

수족관 만들기 프로젝트! Project: Build an Aquarium!

이 수족관은 벽을 유리로 만듭니다. 벽 모서리는 원래 크기의 블록으로 만들고 벽 상단은 반 블록을 사용하면 수족관에 담긴 물과 유리 사이에 생기는 공기 틈을 막을 수 있습니다. 물고기가 이 틈으로 헤엄쳐 나와 갇힌 것처럼 보일 수 있지만 다시 물로 돌아가니 걱정하지 않아도 됩니다. 이 수족관의 장점은 물고기가 공기 틈에 들어왔을 때 밝게 잘 보인다는 점입니다.

필요한 것

- 모래 블록 15개
- 프리즈머린 벽돌 블록(아니면 그 밖의 고체 장식 블록) 20개
- 석영 블록 48개

- 흙 블록 44개(임시)
- 물 양동이 16개
- 유리판 44개
- 한 가지 색의 산호 블록 3개
- 다른 색 산호 블록 1개
- 켈프 2개
- 불우렁쉥이 12개
- 다양한 색의 산호 2~3개
- 다양한 색의 부채형 산호 4~6개
- 해초 4~7개
- 석영 반 블록 20개
- 열대어가 담긴 양동이 5개 이상

제작 과정

1. 직사각형 모래 블록을 3×5로 놓아 수족관 바닥을 만듭니다.

2. 모래 둘레에 프리즈머린 블록이나 그 외 장식 블록으로 테두리를 만듭니다.

3. 테두리의 뒤쪽 부분에 석영을 길이 7, 높이 4블록으로 벽을 쌓아 수족관 뒷면을 만듭니다. 뒷벽을 석영으로 하면 수족관 안쪽이 밝아져서 물고기가 더 잘 보입니다.

4. 테두리 앞쪽 모서리 양쪽에 석영 블록을 4개씩 쌓아 기둥 두 개를 만듭니다.

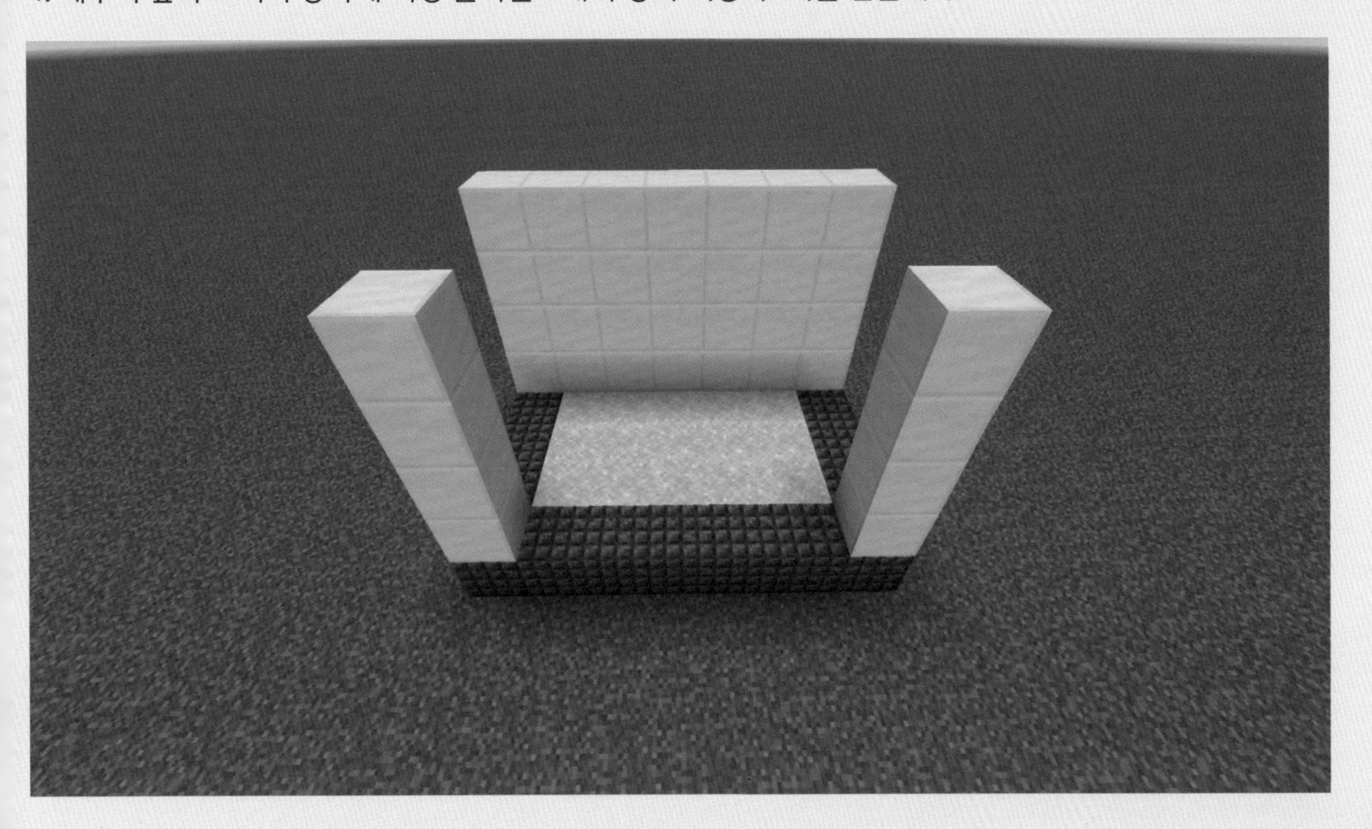

주의: 이제 흙으로 임시 벽을 만들고 수족관에 물을 채운 뒤 유리판 벽을 설치합니다. 임시 벽을 흙으로 만들면 물을 채울 때 도움이 됩니다. 물과 유리판을 같은 블록에 놓으면 유리판이 침수되어 물이 수족관 영역 밖으로 흐릅니다.(이런 일이 생기면 침수된 유리판을 고체 블록으로 바꾼 다음 블록을 부수고 다시 유리판으로 바꿔 보세요.)

5. 그림과 같이 수족관의 앞면과 옆면 위에 흙을 한 줄로 쌓습니다.

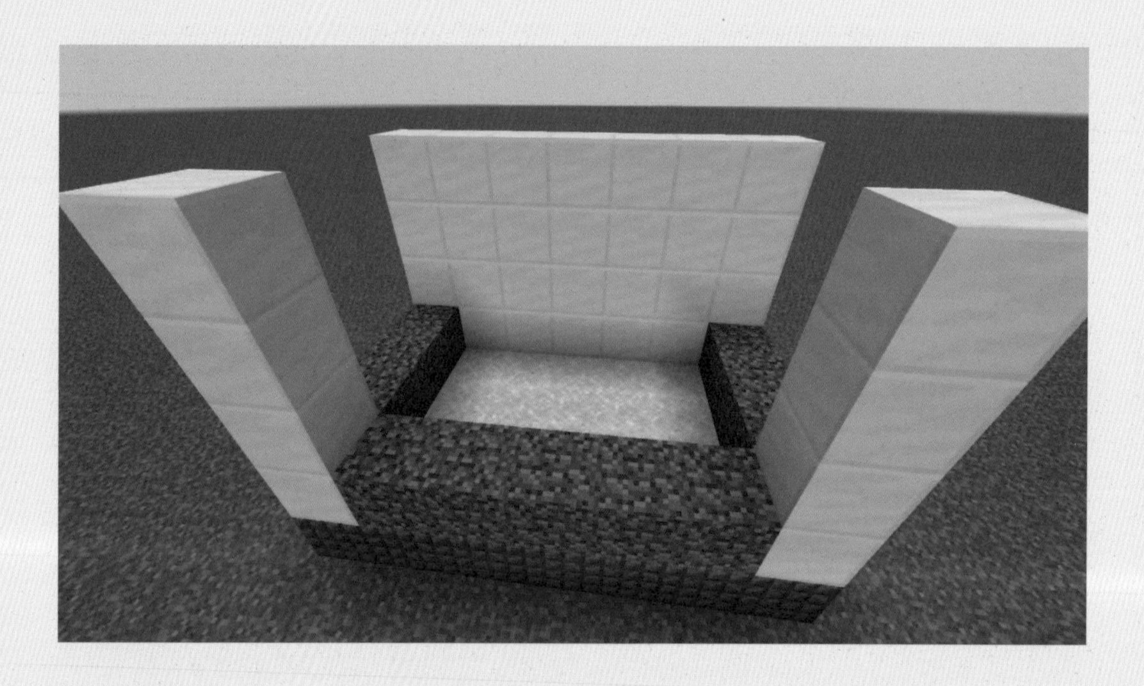

6. 공간을 두고 뒷벽 바닥을 따라 물 양동이 세 개를 놓습니다. 그리고 오른쪽 모서리 앞쪽에 물 양동이 한 개를 놓습니다. 빨간색 X는 물을 놓는 위치입니다. 작업이 끝나면 물 블록이 15개가 되며 흐르지 않고 고여 있게 됩니다.

7. 맨 아랫줄 흙 위에 흙을 한 층 더 올립니다.

8. 6단계에서 물을 놓았던 블록 바로 위에 물 양동이 4개를 더 놓습니다. 작업이 끝났을 때 물 블록이 흐르지 않고 반드시 벽 사이에 꽉 차 있어야 합니다.

9. 7단계와 8단계를 두 번 반복합니다. 흙을 추가해 세 번째, 네 번째 층을 만들고 물을 채웁니다.

10. 이제 흙 블록을 유리판으로 바꾸어 줍니다. 유리판은 블록 위에 얹거나 붙여서 놓으면 쉽게 놓을 수 있습니다. 맨 위에서 시작해 아래쪽으로 내려가면서 작업해 보세요.

11. 이제 장식을 할 시간입니다. 뒤쪽에 산호 블록으로 3개의 기둥을 만들고 조금 떨어진 곳에 다른 산호 블록 1개를 놓습니다.

12. 바닥에 켈프 몇 개를 추가하고 곳곳에(한 블록에 최대 4개) 불우렁쉥이를 놓아 물속을 밝힙니다. 또 모래 바닥에 산호를 몇 개 추가하고 산호 블록의 옆면이나 위에 부채형 산호를 추가합니다. 비어 있는 모래 블록 위는 해초로 채웁니다.

13. 수족관 벽 꼭대기에 석영 반 블록을 둘러서 수족관 벽을 완성합니다.

14. 장식이 끝나면 열대어를 넣습니다. 유리 블록에 붙여서 넣지 않게 주의해야 합니다. 잘못하면 깨져서 벽을 바꿔야 할 수 있습니다. 열대어를 넣을 때 뒷면 석영 벽 가운데 부분에서 열대어를 넣는 것이 좋습니다.

수중 업데이트 Aquatic Update

마인크래프트 바다는 1.13 수중 업데이트 이전까지 거의 아무것도 없었습니다. 해저 유적에 오징어와 가디언만이 있을 뿐이었습니다. 업데이트된 수중 세계에는 바다와 해양 거주지에 관련된 새로운 블록, 아이템, 몹, 기능이 많아졌습니다.

블록

산호, 부채형 산호, 죽은 산호 등 다양한 유형의 산호 블록과 켈프, 말린 켈프 블록, 해초, 불우렁쉥이, 전달체, 거북알, 푸른얼음, 거품 기둥이 생겼습니다. 또 버튼, 압력판, 여러 종류의 나무로 만들어진 각종 다락문, 나무껍질이 있는 통나무(JE), 나무껍질이 없는 원목, 프리즈머린 반 블록과 계단, 어두운 프리즈머린, 프리즈머린 블록이 있습니다.

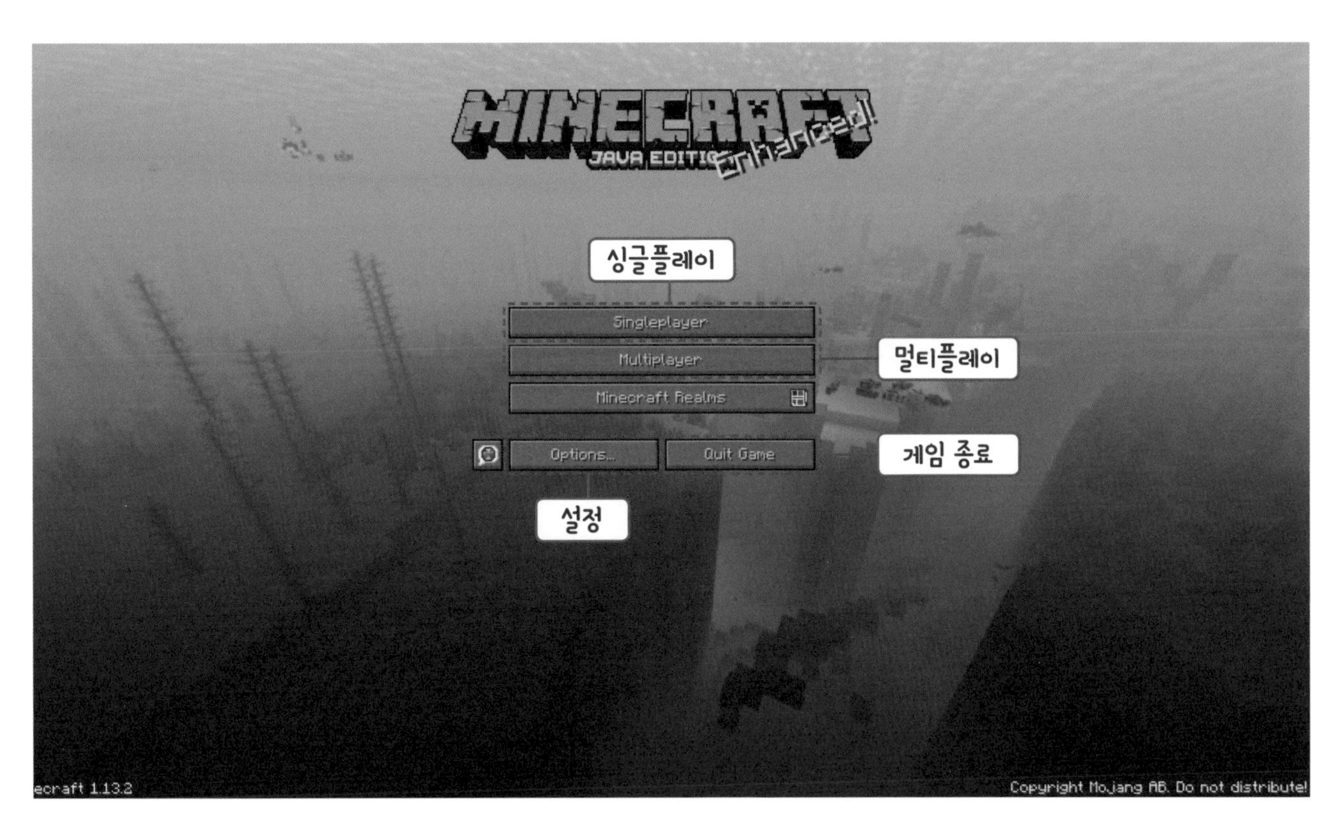

수중 업데이트(JE 1.13)에서는 새로운 몹, 물고기, 아이템, 산호초 등이 생겨 바다에 활력을 불어넣어 주었습니다.

생물 군계

차가운 바다, 미지근한 바다, 따뜻한 바다, 얼어붙은 바다 같은 여러 형태의 바다 군계와 바다 생물 군계가 있습니다. 그리고 바다에는 불모의 섬, 떠다니는 섬, 중간 섬, 높은 섬과 같은 새로운 엔드 생물 군계도 있습니다.

몹

돌고래, 드라운드, 물고기(대구, 복어, 연어, 열대어), 팬텀, 거북이 있습니다.

아이템

느린 낙하 화살, 거북 도사 화살, 땅에 묻힌 보물 지도, 디버그 막대기(JE), 말린 켈프, 물고기가 담긴 양동이, 바다의 심장, 앵무조개 껍데기, 팬텀 막, 인갑, 삼지창, 거북 등딱지가 있습니다.

상태 효과

전달체의 힘, 돌고래의 우아함(JE), 느린 낙하

마법

집전, 찌르기, 충절, 급류

구조물

땅에 묻힌 보물, 산호초, 빙산, 난파선, 수중 동굴 및 협곡, 해저 폐허가 있습니다.

물약

느린 낙하 물약, 거북 도사의 물약이 있습니다.

함께 보기: 자원 체크리스트

거북 도사의 화살
Arrow of the Turtle Master

거북 도사의 화살은 물약이 묻은 화살입니다. 화살을 맞으면 속도가 느려지고 저항 효과가 생깁니다. 물약이 묻은 화살 효과는 일반 물약 8분의 1만큼만 유지됩니다. 거북 도사의 화살을 만들려면 제작대에서 잔류형[1] 거북 도사의 물약 하나에 일반 화살 8개를 더하면 됩니다.

함께 보기: 거북 도사의 물약

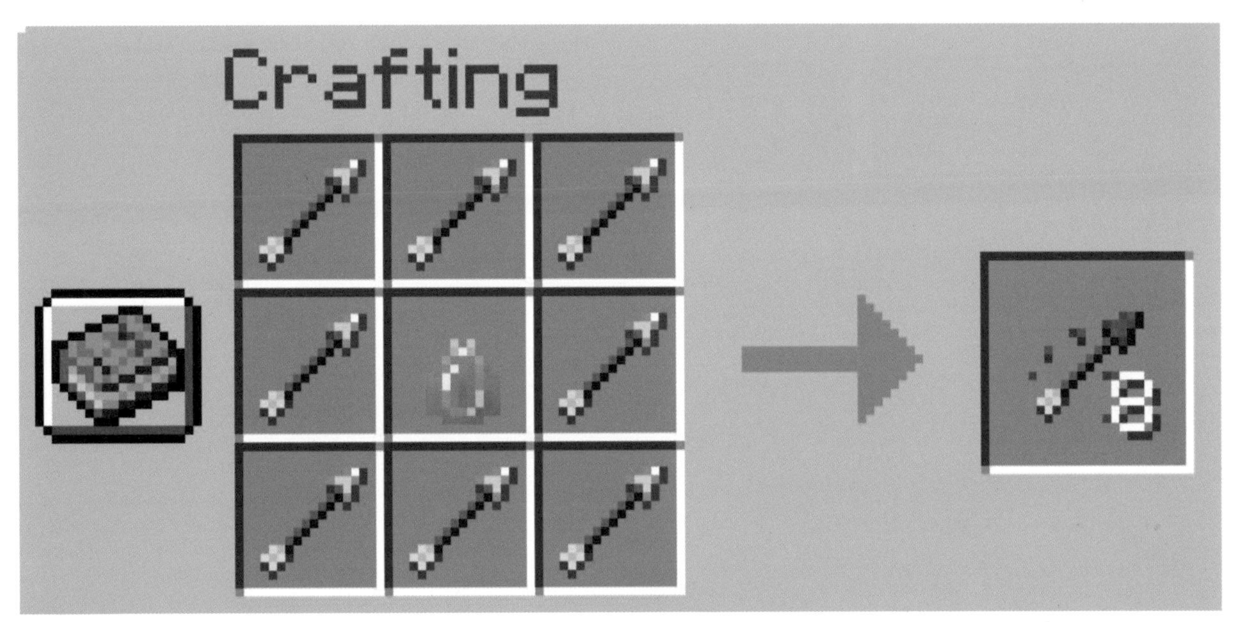

잔류형 거북 도사의 물약과 화살 8개로 거북 도사의 화살 8개를 만들어 보세요.

1) 잔류형 물약은 드래곤의 숨결 한 병을 투척용 물약과 섞어서 만듭니다.

B

해변 Beach

해변 생물 군계는 바다 생물 군계 가장자리 해안선을 따라 펼쳐진 모래 지대입니다. 물가에서 시작된 모래는 물속까지 완만하게 경사져 있습니다. 물속에는 점토, 흙, 조약돌 블록이 있고 사막처럼 모래 밑에서 사암을 찾을 수 있습니다. 사암은 모래가 아래로 떨어지는 것을 막아 줍니다. 해변에서 스폰될 수 있는 수동적인 몹은 거북뿐이고 해변 물가에서 자라는 식물은 사탕수수뿐입니다.

함께 보기: 돌 해안 생물 군계, 눈 덮인 해변 생물 군계

생물 군계 Biomes

생물 군계는 특정 환경에 살고 있는 동식물의 집합체를 가리키는 과학 용어입니다. 생물 군계 환경은 강우량, 온도, 습도에 따라 나뉩니다. 과학자들은 오랜 시간에 걸쳐 저마다 조금씩 다른 방식으로 지구 생물 군계를 분류했습니다.

해변은 육지 생물 군계와 바다 생물 군계 사이에 있습니다.

마인크래프트의 생물 군계도 과학적 생물 군계와 비슷합니다. 각 생물 군계에는 특정한 온도 범위가 있고 강우량 차이가 있습니다. 그래서 각 생물 군계에만 존재하는 독특한 몹이나 식물이 스폰될 수 있습니다. 마인크래프트 생물 군계 이름은 타이가(침엽수 삼림 지대), 사막, 툰드라, 사바나처럼 대부분 생물학자들이 만든 생물 군계 이름에서 따왔습니다.

마인크래프트 게임 속 생물 군계는 크게 다섯 가지 범주로 나뉩니다.

마인크래프트 육지 생물 군계는 높이와 지형, 온도, 습도, 동식물 등이 다양합니다. 하늘, 나뭇잎, 풀 색깔도 생물 군계에 따라 다릅니다.

1. **눈 덮인 생물 군계:** 눈 덮인 툰드라, 두 가지 변종인 역 고드름, 눈 덮인 산
2. **차가운 생물 군계:** 산(조약돌 투성인 산 같은 다른 변종도 포함), 타이가(거대 가문비나무 타이가 같은 다른 변종도 포함), 돌 해안
3. **중간/녹색 생물 군계:** 평원, 숲, 늪, 정글, 강, 해변, 버섯 들판, 버섯 들판 해안, 엔드 및 그 외 변종들
4. **건조/따뜻한 생물 군계:** 사막, 사바나, 악지 지형, 네더와 그 변종들
5. **물 생물 군계:** 따뜻한 바다, 미지근한 바다, 바다, 차가운 바다, 얼어붙은 바다와 그 변종들

마인크래프트 물 생물 군계는 10개의 바다 생물 군계로 되어 있고, 각 생물 군계는 온도와 서식하는 동식물이 다릅니다.

함께 보기: 물 생물 군계

동식물군

동식물군은 지리적으로 같은 영역에 서식하는 식물 종과 동물 종을 가리키는 단어입니다.
생물군이라는 단어는 곰팡이 같은 다른 유형 유기체까지 포함해 사용됩니다.

물 생물 군계 Biomes, Aquatic

마인크래프트 바다 생물 군계는 너비가 수백 블록에서 수천 블록에 이르는 거대한 영역입니다. 해수면은 y=63이며, 깊이는 깊은 바다 변종의 경우 약 15블록(해저: 약 y=45)에서 30블록(해저: 약 y=32) 사이입니다.

바다는 온도 기준으로 5개와 수심 기준 2개로 나뉩니다. 각 기준들을 서로 조합하여 총 10개의 바다 생물 군계를 만들 수 있습니다. 즉, 따뜻한 바다와 깊고 따뜻한 바다, 미지근한 바다와 깊고 미지근한 바다, 바다와 깊은 바다, 차가운 바다와 깊고 차가운 바다, 얼어붙은 바다와 깊고 얼어붙은 바다로 나뉩니다.
10가지 생물 군계는 물 색깔, 식물상(해초, 불우렁쉥이, 켈프), 동물상(물고기, 돌고래, 드라운드, 오징어, 가디언, 엘더 가디언), 생성 구조물(해저 유적, 난파선, 해저 폐허, 산호초) 등이 서로 다릅니다. 해저 유적은 깊은 바다 변종에서만 스폰됩니다.

바닷물 색 차이로 따뜻한 바다 생물 군계와 차가운 바다 생물 군계가 만나는 지점을 알 수 있습니다.

해저는 보통 조약돌로 되어 있고 점토, 흙, 모래가 섞여 있습니다. 지형 특성으로는 수중 협곡과 동굴이 있습니다. 해저는 높낮이의 차이가 있고 어떤 언덕은 해수면 위까지 솟아올라 섬이 되기도 합니다. 또 바다에서 거품 기둥도 발견할 수 있는데 거품 기둥은 마그마 블록에 의해 생성되는 것입니다. 거품 기둥은 수영하는 사람이나 보트를 물속으로 끌어당길 수 있습니다.

바다 생물 군계 말고도 강이나 해변처럼 몇 가지 다른 물과 관련한 생물 군계가 있습니다. 그러나 이런 곳은 게임에서 물 생물 군계로 정의되지는 않습니다.

함께 보기: 생물 군계, 바다, 해저, 해변, 차가운 바다, 얼어붙은 바다, 얼어붙은 강, 미지근한 바다, 버섯 들판 해안, 강, 눈 덮인 해변, 돌 해안, 늪, 따뜻한 바다에 속하는 각 항목

긴코 양쥐돔 Black Tang

긴코 양쥐돔은 실제 물고기 이름을 딴 열대어 가운데 하나입니다. 회색 퍼덕이 색깔과 무늬를 사용합니다.

실제로 긴코 양쥐돔은 완전히 검은색이며 양쥐돔과에서 가장 희귀한 물고기입니다. 양쥐돔은 보통 꼬리 지느러미 근처에 있는 날카로운 칼 모양 가시로 적을 공격하기 때문에 의사 물고기, 외과의사 물고기, 유니콘 물고기 등으로 불리기도 합니다.

함께 보기: 남양쥐돔, 노랑양쥐돔, 열대어

푸른얼음 Blue Ice

푸른얼음은 마인크래프트의 세 가지 얼음 가운데 하나입니다(차가운 얼음 마법 부여 부츠로 만들 수 있는 임시 살얼음은 제외). 푸른얼음은 얼어붙은 바다 생물 군계의 빙산 바닥이나 따로 떨어져 있는 덩어리 혹은 뻗어난 얼음에서 찾을 수 있습니다.

또 푸른얼음은 꽁꽁 언 얼음 블록 9개로 만들 수 있습니다. 푸른얼음은 일반 얼음보다 더 미끄럽고 바로 옆에 횃불이나 다른 광석이 있어도 녹지 않습니다. 현재 마인크래프트 수중 세계에서는 푸른얼음 위에서 보트 여행을 하는 것이 가장 빠르게 다닐 수 있는 방법입니다.

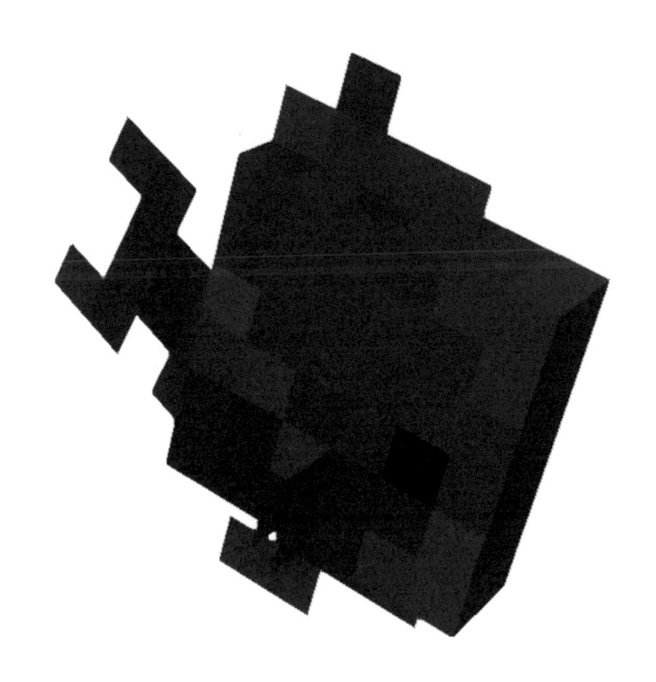

푸른얼음은 얼어붙은 바다 생물 군계에서 자연적으로 생성됩니다.

함께 보기: 얼음, 얼어붙은 바다

남양쥐돔 / 블루 도리
Blue Tang / Blue Dory

남양쥐돔은 마인크래프트 열대어 가운데 하나로 색상과 무늬 구성표에서 회-청색 퍼덕이에 해당합니다.

실제 남양쥐돔은 양쥐돔과의 열대어로 날카로운 꼬리 가시 때문에 외과 물고기(또는 외과의사 물고기), 유니콘 물고기로 알려져 있습니다.

베드락 에디션에서는 블루 도리만 나오고 남양쥐돔은 나오지 않습니다. 그래서 베드락 에디션의 블루 도리가 자바 에디션에서는 남양쥐돔에 해당합니다. 영화 <도리를 찾아서>에 나오는 물고기 '도리'도 남양쥐돔과 열대어입니다. 베드락 에디션 블루 도리는 회-하늘 볕금고기 무늬를 사용합니다.

위: 남양쥐돔(JE), 아래: 블루 도리

함께 보기: 긴코 양쥐돔, 노랑양쥐돔, 열대어

보트 Boats

마인크래프트 수중 세계에서는 수영을 제외하면 사실상 운송 수단은 보트뿐입니다. 보트 성능은 자바 에디션 알파 때부터 사용해 지속적으로 개선되어 왔습니다. 수련 잎에 부딪히기만 해도 배가 부서지던 시대는 끝났습니다. 요즘 보트는 노가 있고 2인승이며, 얼음 위에서는 가장 빠른 속도로 이동합니다. 그 밖의 다른 장점도 있습니다.

- 보트에 있는 동안에는 높은 곳에서 떨어져도 대부분 피해를 입지 않습니다.
- 보트 안에 있을 때는 배고픔이 줄어들지 않습니다.
- 보트에 몹을 잡아둘 수 있습니다. 몹은 스스로 보트를 떠나지 않기 때문에 주민이나 몹을 잡아서 옮기는 데 아주 적합합니다.

재미있는 사실: 보트는 움직이기 때문에 개체로 취급됩니다. 즉, 보트도 생명력이 있고(약 2개의 하트), 생명력이 재생되기도 합니다.

함께 보기: 수영

물속에서의 호흡 Breathing Underwater

수면 아래로 내려가면 산소 레벨을 알려 주는 상태 효과가 표시줄에 나타납니다. 이것을 '산소 바'라고 하는데 열 개의 거품이 줄지어 있습니다. 플레이어가 물속에 머무는 시간이 길어질수록 산소 바에 있는 산소 레벨(거품 수량)이 줄어듭니다. 산소가 다 없어지면(약 15초 걸림.) 초당 하트 1개의 비율로 익사 피해가 발생합니다.

물속에서 수영하는 동안 호흡을 유지하고 익사를 피할 수 있는 몇 가지 방법이 있습니다.

함께 보기: 익사, 수중 생존

거북 등딱지: 거북 등딱지는 10초 동안 수중 호흡 상태 효과를 주는 아이템입니다.	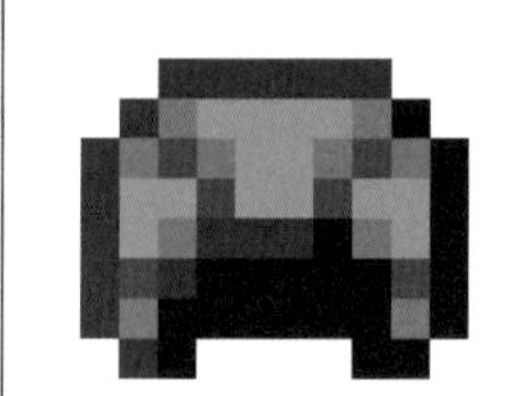
수중 호흡 물약: 물속에서 3분 동안 숨을 쉴 수 있고, 주위가 더 잘 보입니다(기간 연장 버전은 8분).	
전달체의 힘: 전달체를 활성화시키면 효과 범위 안에서는 산소 바가 줄어들지 않습니다.	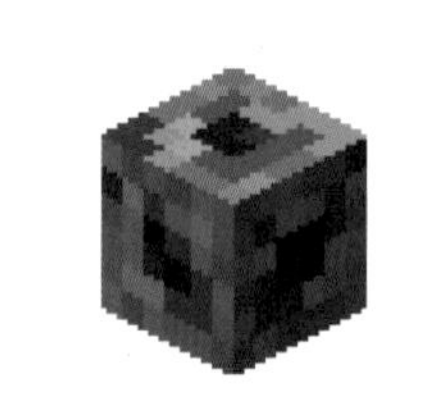
호흡 마법: 호흡 마법이 있는 투구를 쓰면 물속에서 숨을 쉴 수 있는 시간이 늘어납니다.	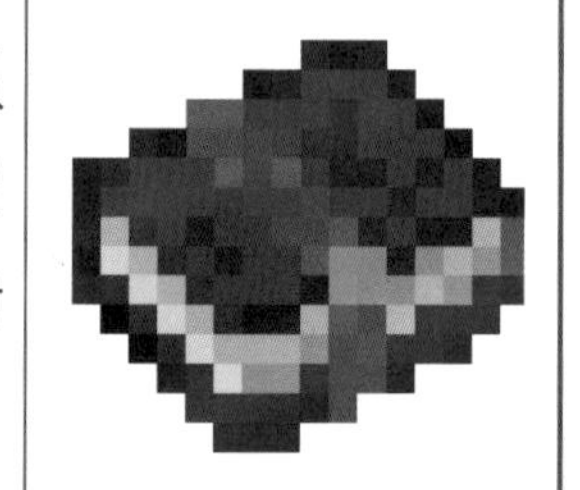

거품 기둥: 거품 기둥에서 산소 레벨을 다시 채울 수 있습니다.	
스펀지: 마른 스펀지를 사용하여 주변에 있는 블록 수십 개의 물을 흡수해서 호흡할 수 있는 공간을 만들 수 있습니다. 물론 플레이어가 어디에 있는지에 따라 다르겠지만, 보통은 주변에 남아 있는 물이 다시 공간을 채웁니다.	
문, 현수막, 대문(JE)**:** 이 중 하나를 설치하면 비상 시 산소를 얻을 수 있는 공간이 마련됩니다. 블록 2개만큼의 공간이 필요하기 때문에 설치할 때 주의해야 합니다. 대문은 블록 2개의 위에 만들어야 머리 높이에 공기가 생성됩니다. 현수막은 위쪽 절반에만 공기 주머니를 만듭니다.	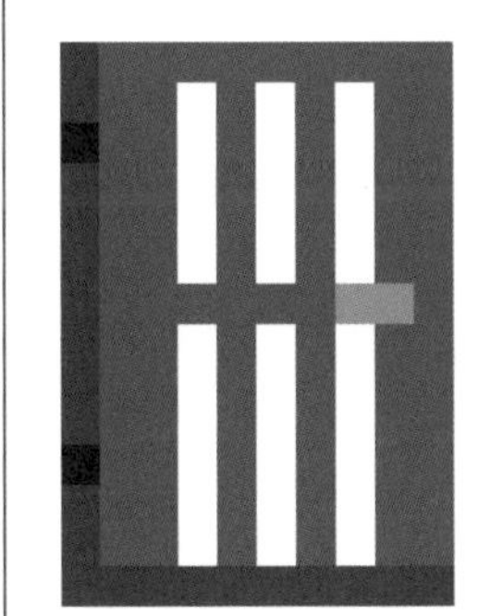

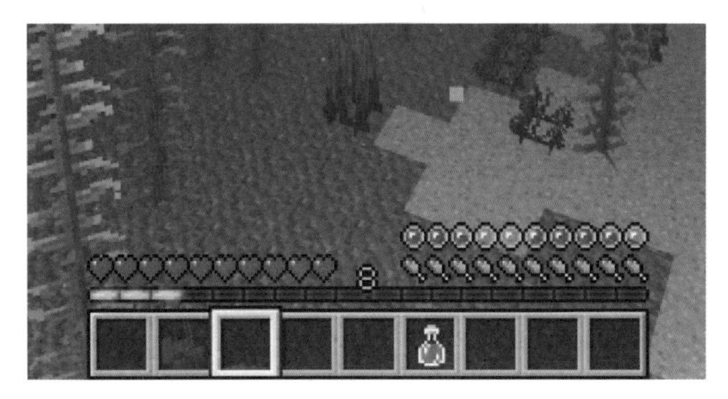

물속에 들어가자마자 배고픔 바 위에 산소 바가 표시됩니다.

문을 설치하면 물속에서 숨 쉴 수 있는 공기 블록 두 개가 생깁니다.

거품 기둥 Bubble Columns

거품 기둥은 물속에 있는 마그마 블록이나 영혼 모래 블록 위에 물 근원 블록이 놓이면 나타납니다. 이렇게 하면 어떤 개체든 초당 약 15블록 속도로 밀거나 당길 수 있는 1×1 블록 너비의 거품 기둥이 생깁니다. 마그마 블록은 소용돌이 거품 기둥을 만드는데 이 기둥은 개체와 아이템을 아래로 끌어내릴 수 있습니다. 보트가 소용돌이 기둥 위에 있으면 심하게 흔들리기 시작해서 빨리 벗어나지 않으면 밑으로 빨려 들어갑니다.

영혼 모래 블록은 마그마 블록과 반대로 가는 거품 기둥을 만들어 내기 때문에 몹과 아이템을 수면으로 밀어낼 수 있습니다. 거품 기둥에서 높이 올라갈수록 더 빨라져 플레이어가 수면에서 한 블록 위 높이까지 던져질 수 있습니다.

거품 기둥이 보이면 해저 폐허나 협곡이 있다는 뜻입니다. 협곡에는 깊은 곳의 용암이 마그마로 변해 생긴 거품 기둥이 열 개 이상 있을 수 있습니다.
거품 기둥 안에 조심스럽게 들어가면 산소를 다시 채울 수 있습니다. 거품 기둥의 공기 방울이 수직으로 올라갈 때 운송 시스템과 플레이어를 위한 엘리베이터로 많이 활용됩니다.

함께 보기: 거품 기둥 엘리베이터 프로젝트

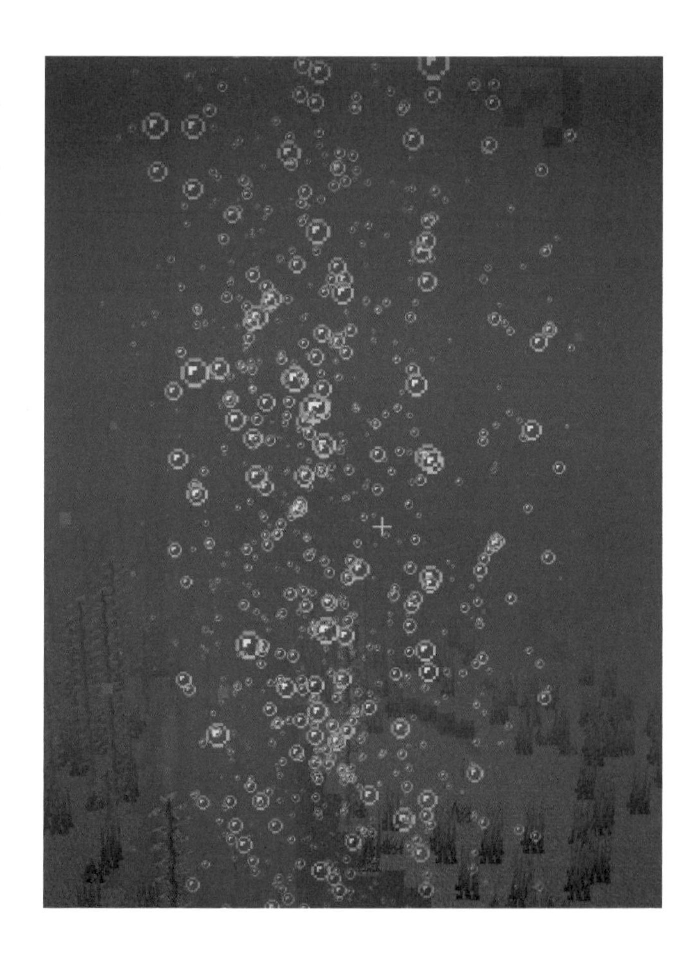

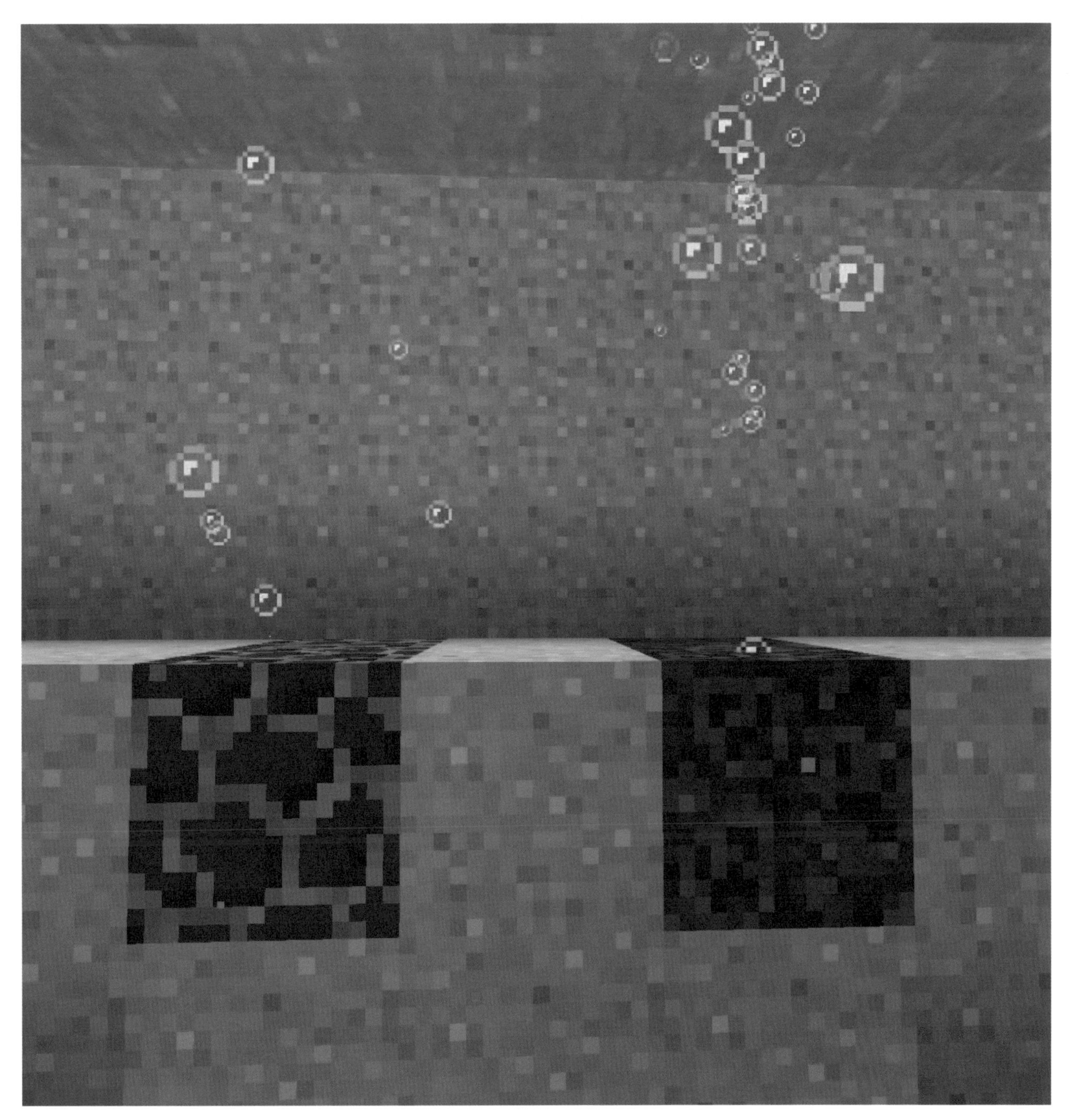

마그마 블록은 물체를 아래로 끌어당기는 거품 기둥을 만들고, 영혼 모래 거품 기둥은 물체를 수면으로 밀어냅니다.

거품 기둥 엘리베이터 프로젝트 Project: Bubble Column Elevator

거품 기둥은 놀랍도록 빠르게 위아래로 오르내릴 수 있는 운송 수단입니다. 엘리베이터를 만들면 산꼭대기나 높은 절벽을 쉽게 오르내릴 수 있고 기지의 각 층 사이를 빠르게 이동할 수 있습니다. 상승 엘리베이터는 영혼 모래를 사용해서 올라가고 하강 엘리베이터는 마그마 블록을 사용해 내려갑니다.

상승 엘리베이터는 하늘색 블록으로, 하강 엘리베이터는 연두색 블록으로 표시합니다. 여러분이 원한다면 다른 색 블록을 사용할 수 있고 발판 크기도 원하는 대로 만들 수 있습니다.

필요한 것

- 중앙 기둥용 프리즈머린 벽돌 블록 17개
- 상승 엘리베이터 벽 3면과 하단 입구에 쓸 하늘색 유리 블록 54개
- 하강 엘리베이터 벽 3면과 하단 출구에 쓸 연두색 유리 블록 54개
- 표지판 6개
- 흙 블록 1개(임시)
- 물 양동이 2개
- 임시 블록 또는 흙 블록 2~3개
- 켈프 2개

■ 영혼 모래 블록 1개
■ 마그마 블록 1개
■ 위층 및 아래층에 쓸 추가 장식 블록(여기에서는 프리즈머린 벽돌 블록 8개, 하늘색 콘크리트 블록 25개, 연두색 콘크리트 블록 25개를 사용했습니다.)

제작 과정

1. 엘리베이터의 중심 기둥이 될 프리즈머린 벽돌을 가운데 놓습니다. 이것이 두 엘리베이터의 뒷벽이 됩니다.

2. 한쪽 면에 하늘색 유리 블록 4개를 두는데 상승 쪽에 두 개씩 측면에 놓습니다. 하늘색이 올라가는 엘리베이터가 됩니다.

3. 반대쪽에 연두색 유리 블록 4개를 하강 쪽 옆에 놓습니다. 연두색은 엘리베이터가 내려오는 곳이 됩니다.

4. 각 블록을 2개씩 더 쌓아 3개 높이로 만듭니다.

5. 그림처럼 상승 한쪽 벽에 표지판 3개를 놓습니다.

6. 하강 쪽도 똑같이 작업합니다.

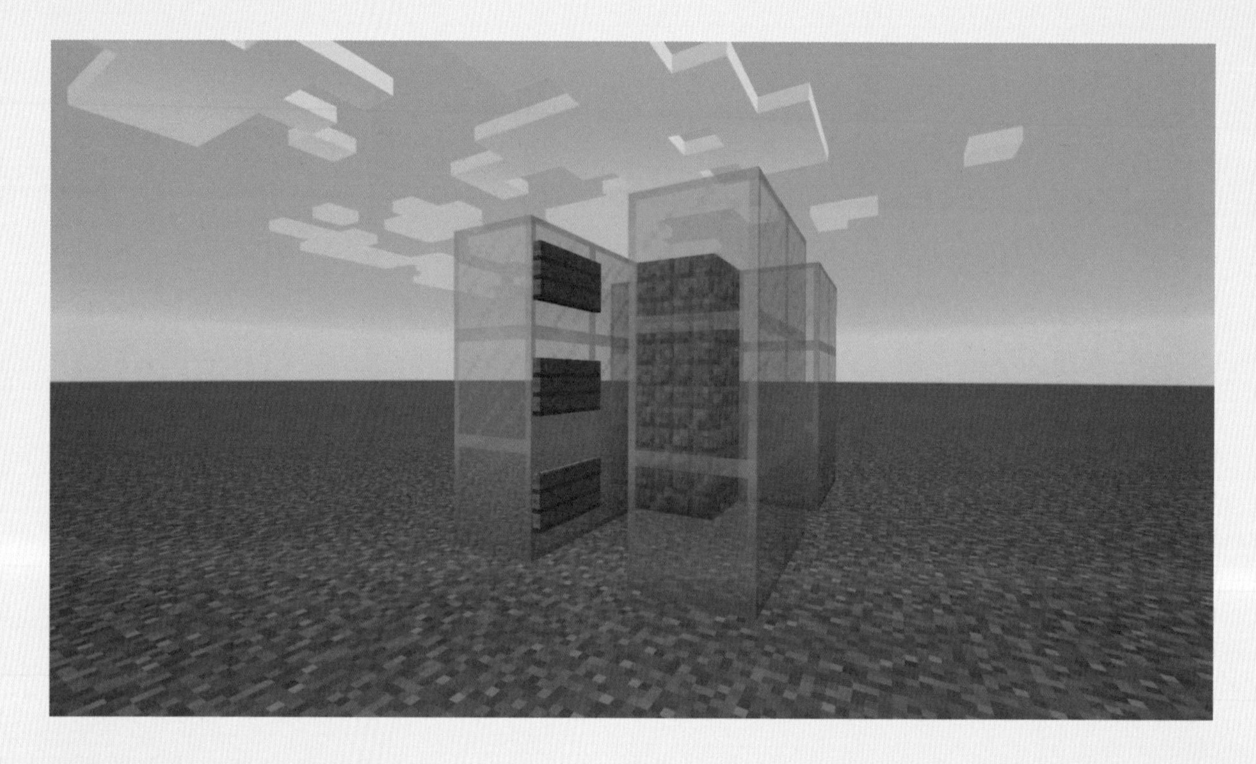

7. 상승 바깥쪽 유리 블록 상단에 흙 블록을 잠시 올려 둡니다. 이렇게 하면 다음 단계에서 블록을 놓을 때 도움이 됩니다.

8. 그림과 같이 유리 블록 3개와 프리즈머린 벽돌 블록 1개를 놓아 상승 엘리베이터를 감싸는 기초를 만듭니다.

9. 임시로 둔 흙 블록을 제거합니다.

10. 하강 엘리베이터도 상승 엘리베이터와 같은 방법으로 작업을 합니다.
    먼저 바깥쪽 유리 블록 위에 임시 흙 블록을 놓습니다.

11. 유리 블록 3개를 추가해 엘리베이터 바깥벽과 옆벽의 기초를 만들고 흙 블록을 제거합니다.

12. 이후에는 원하는 층수만큼 쌓으면 됩니다. 여기에서는 높이를 17블록으로 만들기 위해 14개 층을 추가했습니다.

13. 엘리베이터 상단에 발판을 만듭니다. 장식 블록을 추가해 보세요. 내려가는 쪽에는 연두색 콘크리트, 올라가는 쪽에는 하늘색 콘크리트를 사용했으며 두 엘리베이터 사이에 프리즈머린 벽돌 블록을 두었습니다.

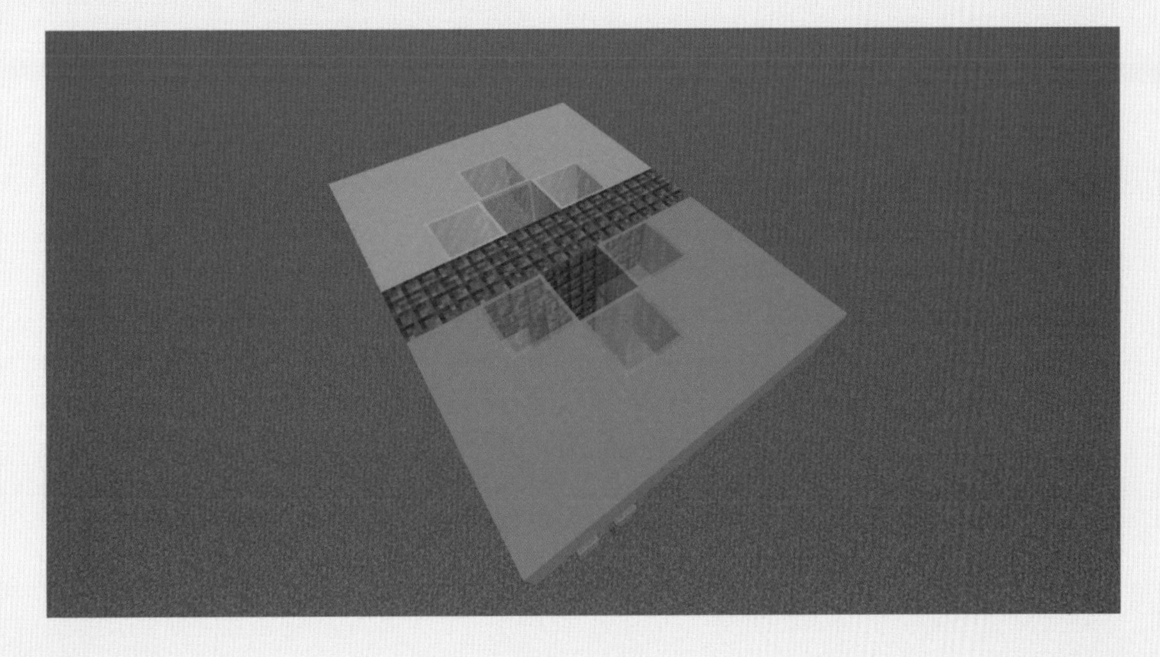

14. 양쪽 엘리베이터 상단에 물이 든 양동이를 하나씩 놓습니다.
    이 물은 각각 엘리베이터 터널을 따라 밑으로 흐릅니다.

15. 엘리베이터 맨 아래층 바닥 블록이 잔디나 흙이 맞는지 확인하고 양쪽 다 켈프를 심습니다.

16. 이제 켈프가 각 엘리베이터 맨 위 물 블록까지 자라기를 기다리거나, 손으로 직접 켈프를 놓습니다. 켈프가 자라면 위에서 흐르는 물 블록이 근원 블록으로 바뀝니다(거품 기둥은 근원 블록에서만 작동).

17. 켈프가 위로 자라면 다시 바닥 층으로 가서 양쪽의 켈프 줄기를 파괴합니다.

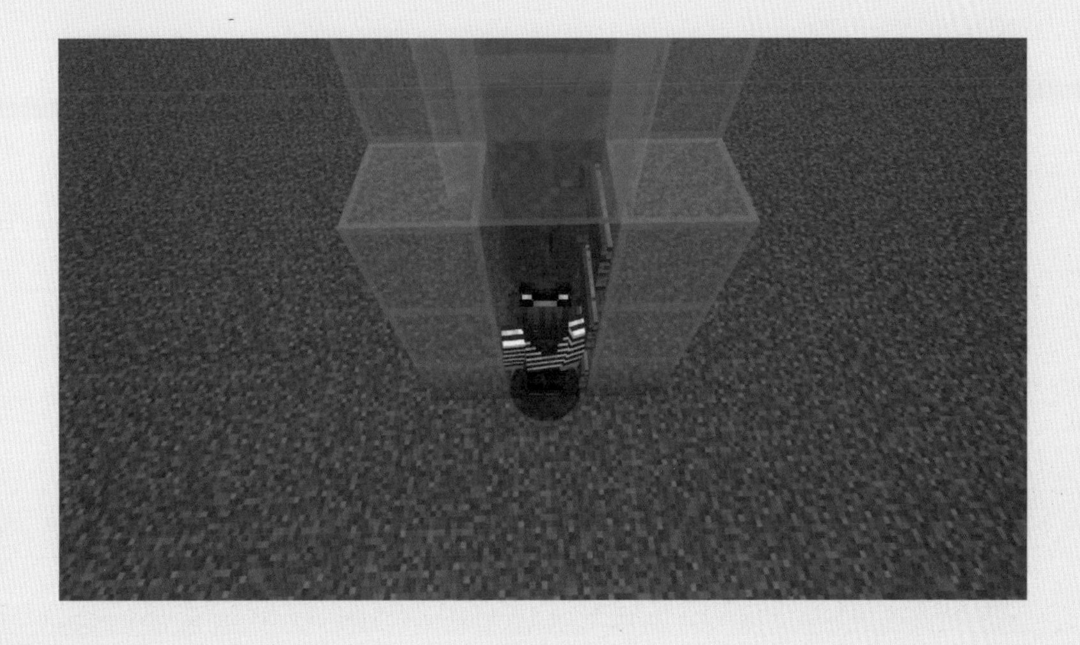

18. 상승 엘리베이터 맨 아래 있는 블록을 영혼 모래 블록으로 바꾸면 거품이 올라오는 것을 볼 수 있습니다.

19. 하강 엘리베이터 맨 아래 있는 블록을 마그마 블록으로 바꿉니다. 거품이 마그마 블록으로 흘러내리기 시작하는 것을 볼 수 있습니다.

20. 장식 블록을 써서 아래층을 마음대로 꾸며 보세요. 여기에서는 하강 쪽은 연두색 콘크리트, 상승 쪽은 하늘색 콘크리트를 사용했습니다.

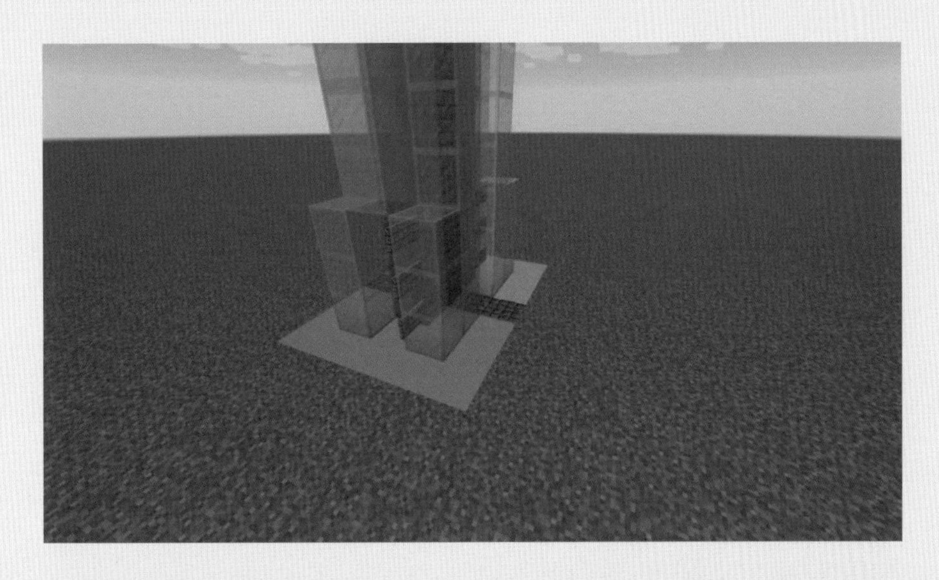

21. 마지막으로 엘리베이터가 잘 작동되는지 확인하세요. 하늘색 상승 엘리베이터는 속도가 빨라서 공중으로 약간 튀어 오를 수 있습니다. 도착하면 발판으로 나와 연두색 하강 엘리베이터를 타고 내려갑니다. 바닥에 도착하면 앞 방향키를 누르세요. 그래야 마그마 블록 위에 오래 서 있지 않고 엘리베이터에서 내릴 수 있습니다(마그마 블록에 끼인 경우에는 시프트 키를 눌러서 피해를 입지 않도록 합니다.).

물고기가 담긴 양동이 Bucket of Fish

양동이에 물을 채우고 마우스 오른쪽 버튼으로 헤엄치는 물고기를 클릭하면 물고기가 담긴 양동이가 됩니다. 반대로 물고기가 담긴 양동이를 든 채 마우스 오른쪽 버튼으로 물을 클릭하면 물고기를 놓아줄 수 있습니다. 네 종류의 물고기가 담긴 양동이가 있는데, 각각 대구, 연어, 복어, 열대어가 담겨 있습니다. 열대어를 잡으면 양동이에 어떤 물고기를 잡았는지 표시됩니다. 만일 긴코 양쥐돔처럼 이름이 있는 22마리 물고기 중 하나라면 해당 이름이 표시됩니다. 그 외에 이름 없는 열대어들은 '청색 반짝이'처럼 무늬와 색상으로 표시됩니다. 하지만 열대어가 든 양동이 아이템은 아이콘이 항상 흰동가리로 보입니다.

팁: 살아 있는 물고기 몸에 이름을 붙이고 싶다면 물고기가 담긴 양동이를 모루(아이템을 수리하거나 이름을 바꿀 때 사용하는 블록)에 넣고 이름을 써 보세요. 이렇게 하면 잡은 열대어를 정리하고 구별하는 데 편리해서 수집하기도 좋습니다.

함께 보기: 열대어, 물고기

땅에 묻힌 보물 Buried Treasure

땅에 묻힌 보물은 무작위로 만들어진 전리품 상자로 대부분 해변에서 발견되지만, 해저에서도 종종 발견됩니다. 상자는 일반적으로 모래나 조약돌 블록에 묻혀 있지만 가끔 돌이나 광석에 덮여 있기도 합니다. 땅에 묻힌 보물 지도를 사용해서 찾을 수 있는데, 이 지도는 난파선 지도 상자나 해저 폐허 상자에 들어 있습니다.

땅에 묻힌 보물 상자에서 찾을 수 있는 전리품은 아주 희귀한 아이템인 바다의 심장과 다이아몬드, 에메랄드, 철, 금, 프리즈머린 수정, 철괴, 검, 가죽조끼, TNT, 익힌 대구와 연어가 있습니다. 베드락 에디션에서는 사슬 갑옷, 끈, 이름표, 음악 디스크, 케이크, 수중 호흡, 재생 물약, 책, 깃펜, 경험치 병도 찾을 수 있습니다.

함께 보기: 땅에 묻힌 보물 지도, 난파선, 해저 폐허

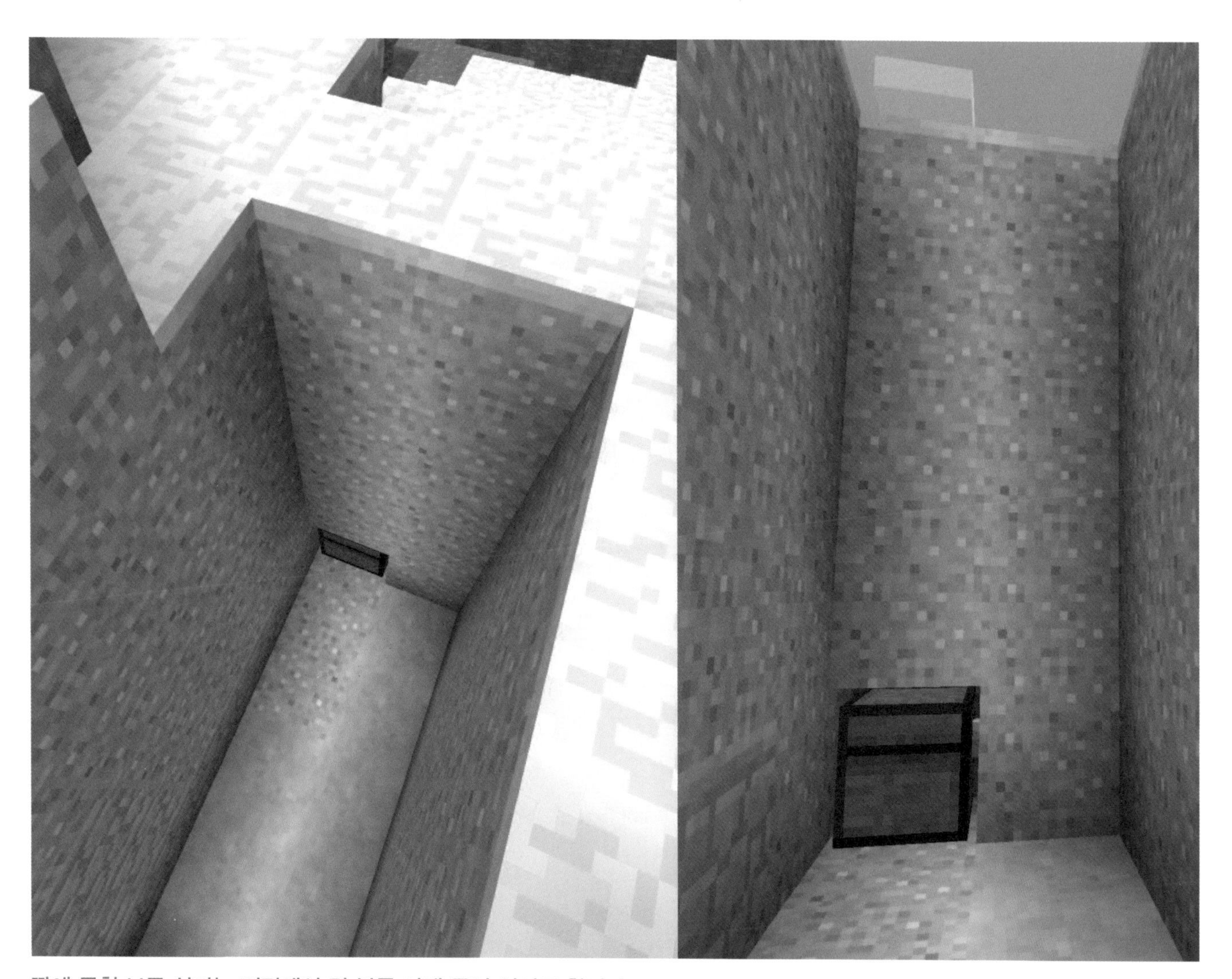

땅에 묻힌 보물 상자는 지면에서 몇 블록 아래 묻혀 있기도 합니다.

땅에 묻힌 보물 지도
Buried Treasure Map

땅에 묻힌 보물 지도는 탐험 지도 가운데 하나입니다. 이 지도는 마인크래프트 세계 해변과 해안선 어딘가에 묻혀 있는 전리품 상자의 위치를 보여 줍니다. 보물 지도는 난파선 지도 상자와 해저 폐허 상자에서 찾을 수 있습니다. 다른 탐험 지도와 마찬가지로 땅에 묻힌 보물 지도는 대략적인 지역과 보물 위치를 보여 주고 흰색 마커는 현재 위치를 나타냅니다. 탐험 지도를 사용하는 방법에 대해 잘 모르는 경우 탐험 지도 항목을 참고하세요.

지도가 있어도 땅에 묻힌 보물을 찾기 어려울 수 있습니다. 보물을 덮고 있는 빨간 십자가의 크기가 큰 데다가 지도에는 정확한 좌표가 나오지 않기 때문에 전리품 상자가 근처에 있는 것처럼 표시되어 있어도 생각보다 멀리 떨어져 있는 곳을 파게 될 수도 있습니다. 보물에 최대한 가까이 가려면 흰색 마커 끝이 빨간색 X의 밑으로 튀어나오도록 맞추세요.

근처에 있는 보물 지도 상자를 찾은 경우(예: 난파선 지도 상자 근처의 해저 폐허 상자), 지도가 같은 보물을 가리킬 때가 있습니다. 그러니 더 많은 보물을 찾고 싶다면 더 멀리 여행을 가 보세요.

함께 보기: 탐험 지도, 난파선, 해저 폐허, 땅에 묻힌 보물

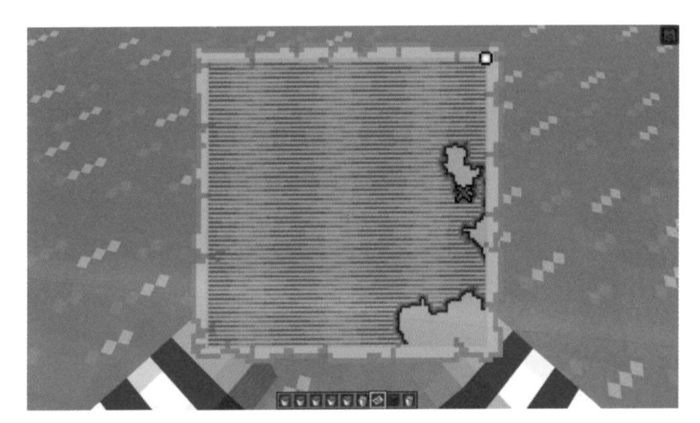

땅에 묻힌 보물에 최대한 가까이 가고 싶다면 여러분 위치를 나타내는 흰색 마커를 빨간색 X 표시 바로 아래에 놓이게 한 뒤 끝이 살짝 튀어나오도록 둡니다.

동서남북

태양을 이용해 방향을 찾아보세요. 태양은 항상 동쪽에서 서쪽으로 움직입니다. 태양을 보고 커서를 태양 아래쪽 가장자리에 맞춰 줍니다. 그러고 나서 잠시 기다리면 태양이 움직이는데, 움직이는 방향이 서쪽입니다. 한 번 더 확인하려면 서쪽을 바라보고 해가 그쪽으로 지는지 확인해 보세요.

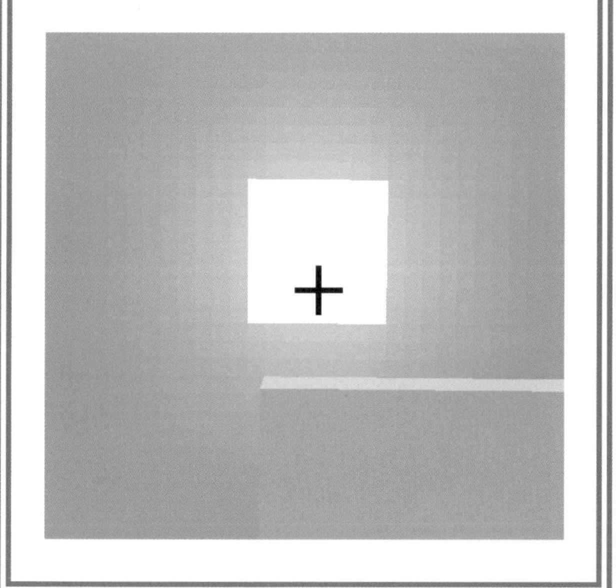

나비고기 Butterflyfish

나비고기(베드락 에디션에서는 나비 고기)는 마인크래프트 열대어들 가운데 실제 물고기의 이름을 딴 열대어입니다. 색상 및 무늬 구성표에서는 백회색 소금치에 해당됩니다(135페이지 참고).

실제 나비고기는 산호초에 사는 수많은 열대어 가운데 하나입니다. 대부분은 빨강, 주황, 노랑, 파랑, 검정, 흰색 등의 화려한 색깔과 무늬가 있는 것으로 유명합니다.

함께 보기: 오네이트 나비고기, 열대어

C

집전 Channeling

집전은 삼지창에만 부여할 수 있는 마법으로 1레벨만 있습니다. 몹에게 집전 삼지창을 던져 명중하면 번개가 소환됩니다. 번개에 맞으면 크리퍼가 충전된 크리퍼로, 돼지가 좀비화 피글린으로, 주민이 마녀로 바뀝니다. 단, 이 공격은 폭풍우가 치고, 하늘에서 번개가 내리치는 동안에만 발생합니다. 집전 마법은 급류 마법과 동시에 부여할 수 없습니다.

함께 보기: 급류, 삼지창

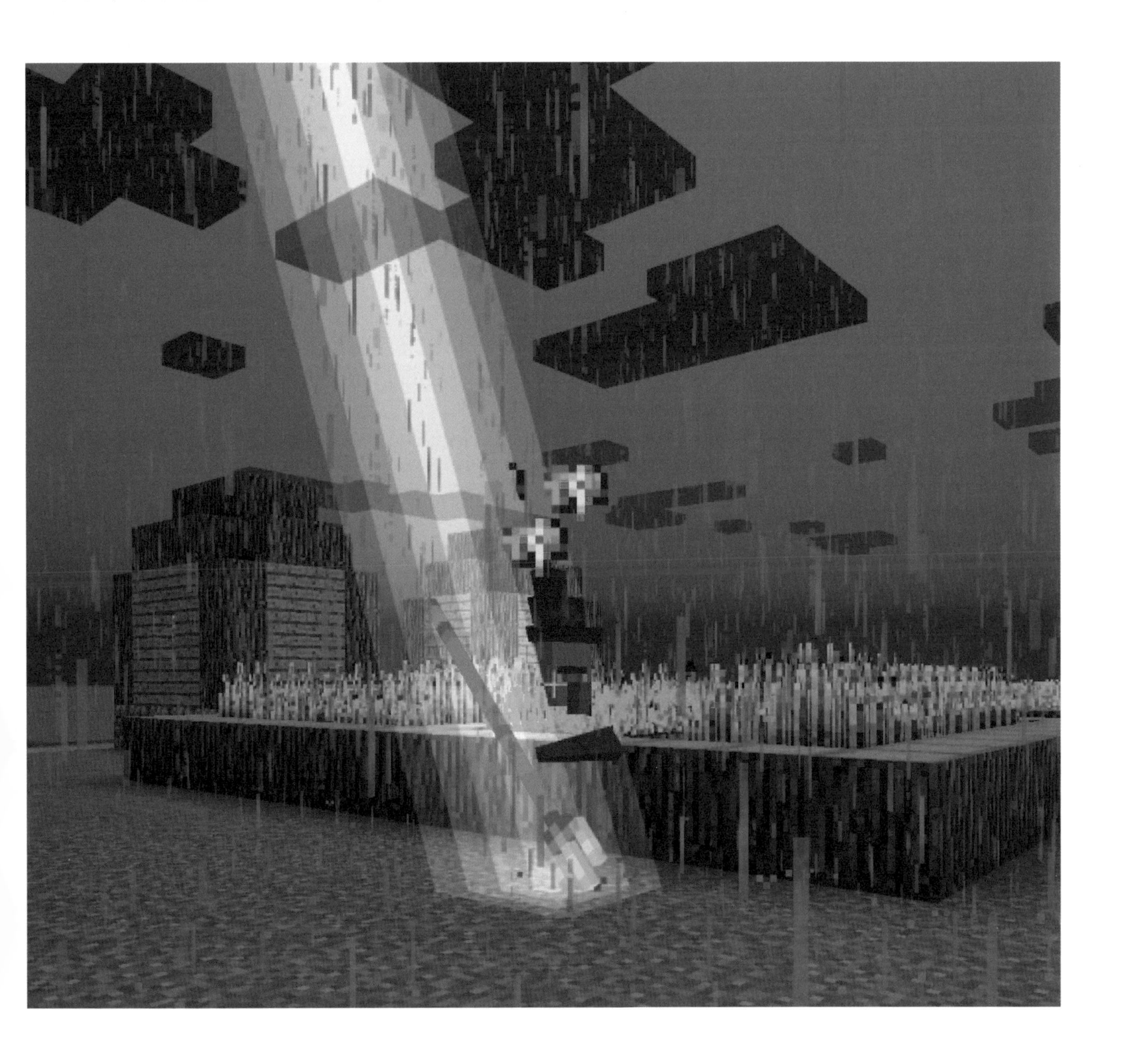

시클리드 Cichlid

시클리드는 마인크래프트 열대어 22종 가운데 하나입니다. 마인크래프트 색상 및 무늬 구성표에서는 청-회색 볕금고기입니다. 실제 시클리드는 어느 한 종을 가리키는 것이 아니라 1,500여 종이나 되는 시클리드과 물고기를 말합니다. 이 중에는 틸라피아 같은 식용 물고기를 비롯해 다양한 열대어가 포함되어 있습니다. 시클리드과는 다른 어류와 달리 독특한 턱 구조를 가지고 있습니다.

함께 보기: 빨간 시클리드, 열대어

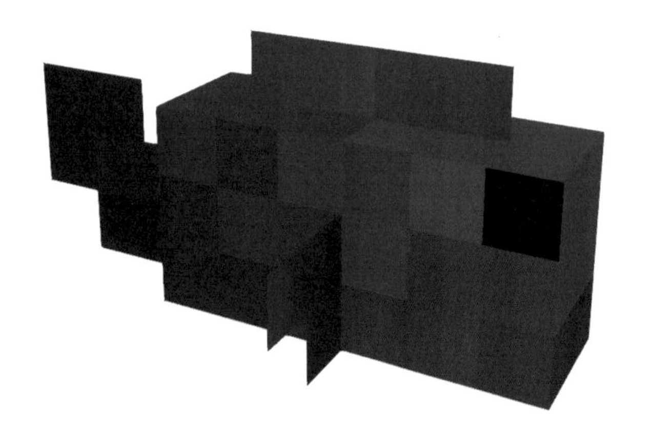

점토 Clay

점토는 해저를 구성하는 중요한 네 가지 블록 가운데 하나입니다. 다른 셋은 조약돌, 모래, 흙입니다. 늪, 호수, 강바닥, 강가에서도 점토를 찾을 수 있습니다.

보통 해수면과 그 경계에서 뭉쳐 있는 점토를 찾을 수 있고 해변과 섬에서도 모래와 함께 발견되기도 합니다. 점토를 부수면 4개의 점토 덩어리를 얻을 수 있고, 4개를 모두 넣어 다시 블록으로 만들 수 있습니다.

점토 덩어리를 가공하면 벽돌을 얻을 수 있고 벽돌로는 벽돌 블록이나 화분을 만들 수 있습니다. 또 점토 블록을 제련하면 건축용 테라코타 블록을 얻을 수 있는데, 테라코타를 염색하면 염색된 테라코타 블록을 만들 수 있습니다. 그리고 다시 염색된 블록을 제련하면 다양한 무늬의 유광 테라코타를 얻을 수 있습니다.

흰동가리 Clownfish

흰동가리는 실제 물고기 이름을 딴 마인크래프트 열대어입니다. 마인크래프트 색상 및 무늬 구성표에서는 주황-흰색 보구치입니다. 실제 흰동가리는 흰색 줄무늬가 있는 밝은 주황색 말미잘 물고기입니다. 흰동가리는 수컷으로 태어났다가 암컷이 죽으면 무리 중 한 마리가 암컷으로 변하는 놀라운 능력을 지닌 것으로 유명합니다.

함께 보기: 말미잘 물고기, 토마토 흰동가리, 열대어

대구 Cod

대구는 마인크래프트의 네 종류의 물고기 몹 가운데 하나입니다. 나머지는 연어, 복어, 열대어입니다. 따뜻한 바다와 얼어붙은 바다 생물 군계를 제외한 바다 생물 군계에서 발견됩니다. 4~7마리씩 무리 지어 다니고 많게는 9마리까지 무리를 지어 헤엄칩니다. 대구는 날 것으로 먹으면 2포인트의 허기가 회복되고, 익혀 먹으면 5포인트가 회복될 만큼 매우 영양가 있는 식품입니다.

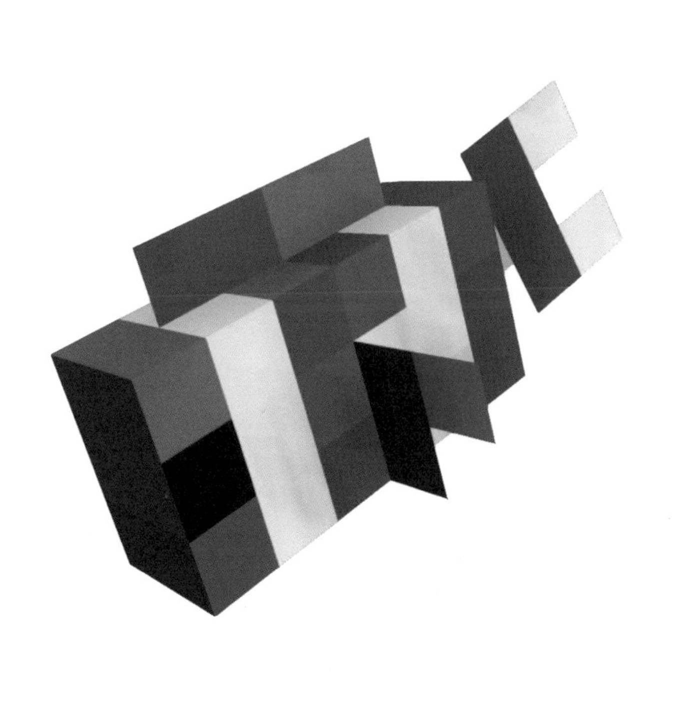

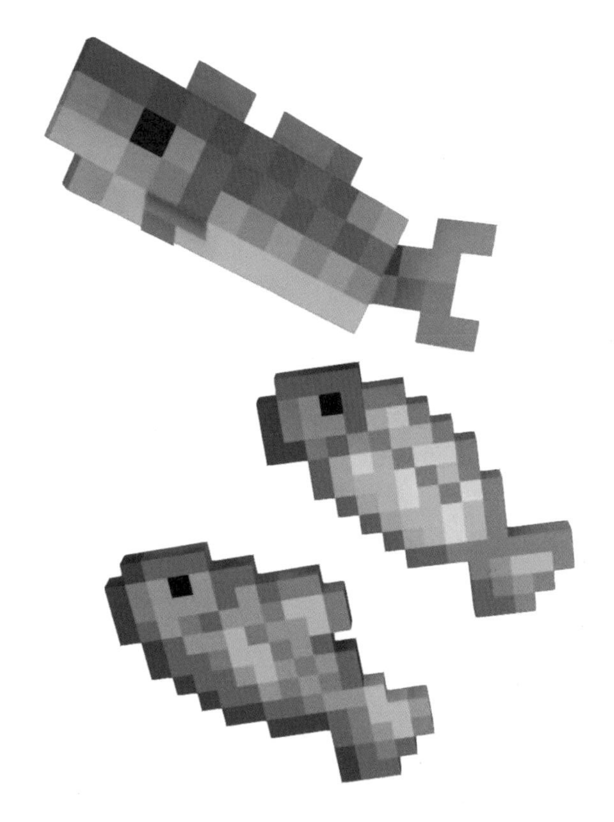

위에서부터: 대구 몹, 날것의 대구 아이템, 익힌 대구 아이템

실제로도 대구는 흔한 바닷물고기이며, 대구 간유(대구, 상어 따위 물고기 간장에서 뽑아낸 물고기 기름)에는 비타민 A와 D가 많습니다.

함께 보기: 물고기

차가운 바다 Cold Ocean

차가운 바다는 밝고 푸른 남색 빛을 띠고 있습니다. 이곳에서 켈프, 해초, 폐허, 난파선을 찾을 수 있습니다. 차가운 바다 생물 군계에 스폰되는 몹은 대구, 돌고래, 드라운드, 연어, 오징어입니다. 깊고 차가운 바다 생물 군계는 차가운 바다보다 약 2배 정도 더 깊고, 해저 유적이 스폰될 수 있으며, 해저 유적에는 가디언과 엘더 가디언이 있습니다.

깊고 차가운 바다 생물 군계는 해저 유적이 생성될 만큼 깊습니다.

전달체 Conduit

전달체는 신호기처럼 일정 범위 안에 있는 플레이어에게 다양한 특수 효과를 주는 특수 블록입니다. 전달체를 만들기 위해서는 바다의 심장 1개와 앵무조개 껍데기 8개가 필요합니다. 전달체는 15레벨의 빛을 내기도 하는데 이는 해가 가장 높이 떠 있을 때의 밝기와 같습니다.

전달체를 활성화하려면 물속에서 전달체를 설치할 장소를 정하고, 전달체 주위를 블록 프레임으로 둘러싸야 합니다. 전체 프레임은 5×5 정사각형 고리 3개로 구성해야 합니다. 각 고리는 전달체를 중앙에 두고 세 축(x, y, z) 방향으로 감싸면 됩니다.

프레임으로 사용할 수 있는 블록은 프리즈머린, 프리즈머린 벽돌, 짙은 프리즈머린, 바다 랜턴입니다. 전체 프레임에는 블록 42개가 사용되며, 모든 방향으로 96블록 범위까지 전달체 힘을 활성화합니다.

하지만 프레임 전체가 다 있어야만 활성화되는 것은 아닙니다. 최소 블록 16개로 만든 프레임만 있어도 활성화됩니다. 그리고 프레임에 블록이 7개씩 추가될 때마다 전달체 범위가 16블록씩 확장됩니다.

예를 들어 프레임 블록이 14개이면(실제로는 16개가 배치될 때까지 활성화되지 않지만) 전달체의 힘 범위가 32블록까지 전달됩니다. 블록이 21개 이상이면 범위는 48블록, 28개 블록이면 범위가 64블록이 되며, 이런 식으로 계속 확장됩니다.

전달체를 활성화하려면 주위에 프리즈머린 또는 바다 랜턴으로 된 고리 3개를 배치해야 합니다.

완전한 프레임으로 구성된 전달체는 근처에 있는 모든 적대적인 몹에게 2초마다 체력 4(하트 2개) 비율로 피해를 입힙니다. 단, 이 기능은 몹이 물속이나 빗속에 있는 경우에만 작동합니다.

물속의 전달체는 바다의 심장에 눈이 달린 것처럼 아주 작은 입자를 끌어들입니다. 활성화되면 벌어지면서 천천히 위아래로 움직이고 전달체 안의 작은 프레임이 중앙에 있는 바다의 심장 주위에서 비틀어집니다.

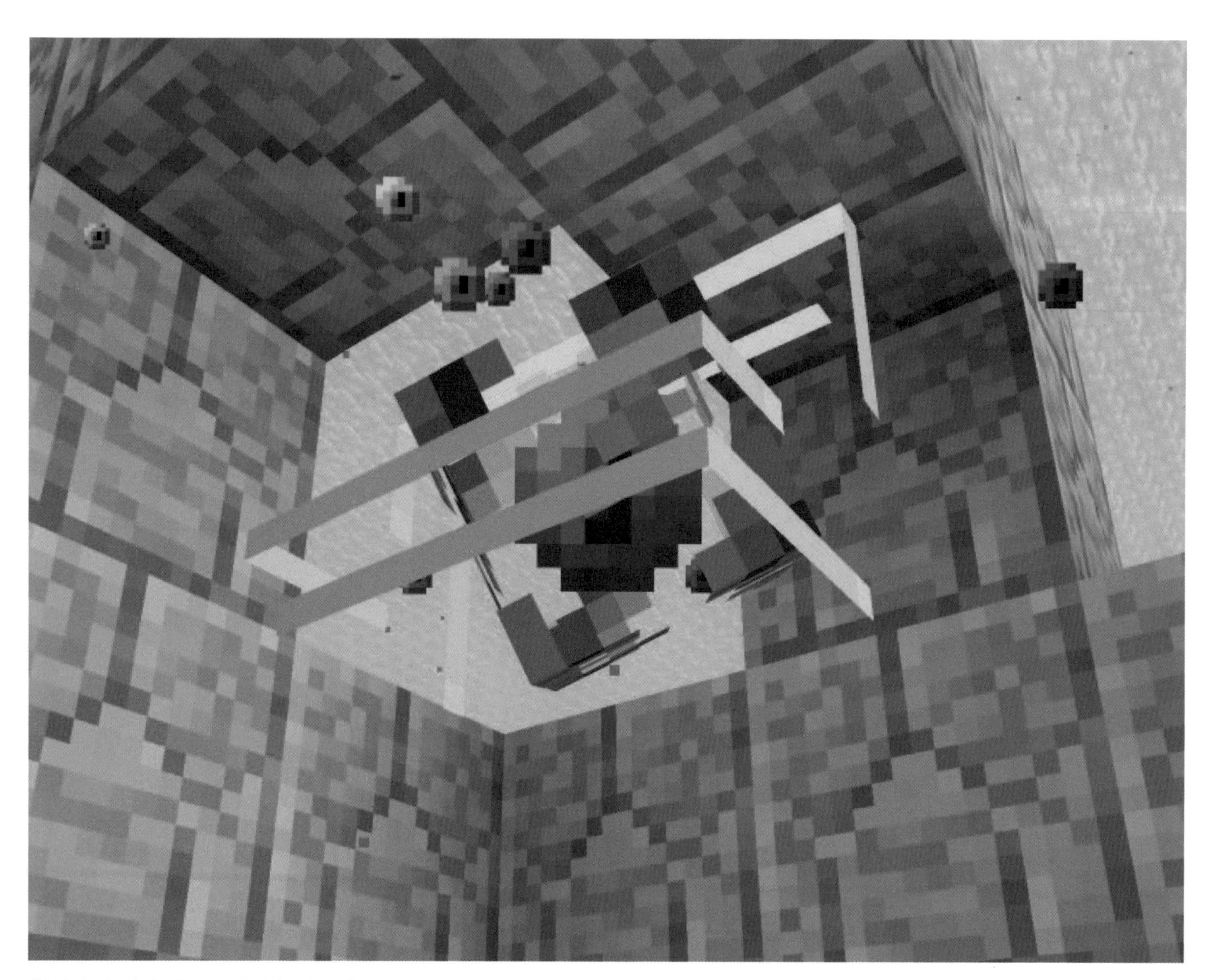

활성화된 전달체는 중심에 '붉은 눈'이 열리고 미니 바다의 심장처럼 보이는 입자를 끌어들입니다.

블록 개체

블록 개체는 일반 블록보다 속성과 능력이 더 많은 블록입니다. 일반 블록과 같은 입방체 모양을 사용하지 않을 수 있습니다. 블록 개체에는 현수막, 침대, 양조기, 가마솥, 상자, 화분, 용광로, 몬스터 생성기, 레드스톤 비교기, 표지판 등이 있습니다.

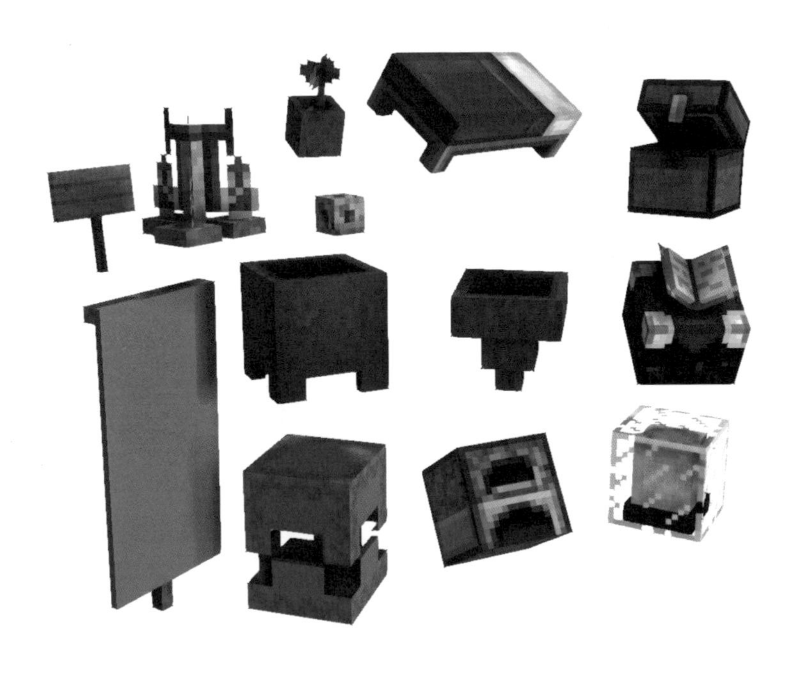

그리고 '웅웅' 울리는 소리와 심장이 뛰는 소리가 합쳐진 소리를 냅니다. 블록 42개짜리 프레임으로 전달체가 완전히 활성화되면 바다의 심장에 주황색과 빨간색으로 된 눈동자가 나타납니다.

함께 보기: 전달체의 힘

전달체의 힘 Conduit Power

전달체가 활성화되면 '전달체의 힘 상태 효과'라는 특수 효과가 생깁니다. 이 효과가 생기면 효과 범위 안에 있는 플레이어에게 수중 호흡, 야간 투시 효과 등을 줄 수 있습니다. 전달체의 힘은 플레이어가 물이나 빗속에 있을 때만 작동합니다.

함께 보기: 전달체

산호 Coral

산호는 산호초를 이루는 세 가지의 블록 중 하나입니다. 나머지는 산호 블록과 부채형 산호입니다. 실제로 산호초는 동물이지만 마인크래프트에서는 꽃과 비슷합니다. 입방체 모양이 아니고 비고체이거나 투명한 블록입니다. 산호는 종류에 따라 뇌 산호(분홍색), 거품 산호(보라색), 불 산호(빨간색), 사방 산호(노란색), 관 산호(파란색)로 나뉩니다. 각각 모양과 색상이 조금씩 다르지만 모두 블록 상단에 두어야 키울 수 있습니다. 산호는 섬세한 손길 마법이 부여된 곡괭이로만 채집할 수 있으며, 다른 도구로 부수면 산호가 죽습니다.

산호는 물 밖에 있으면 순식간에 잿빛을 띠며 죽은 산호가 됩니다.

살아 있는 관 산호와 죽은 관 산호

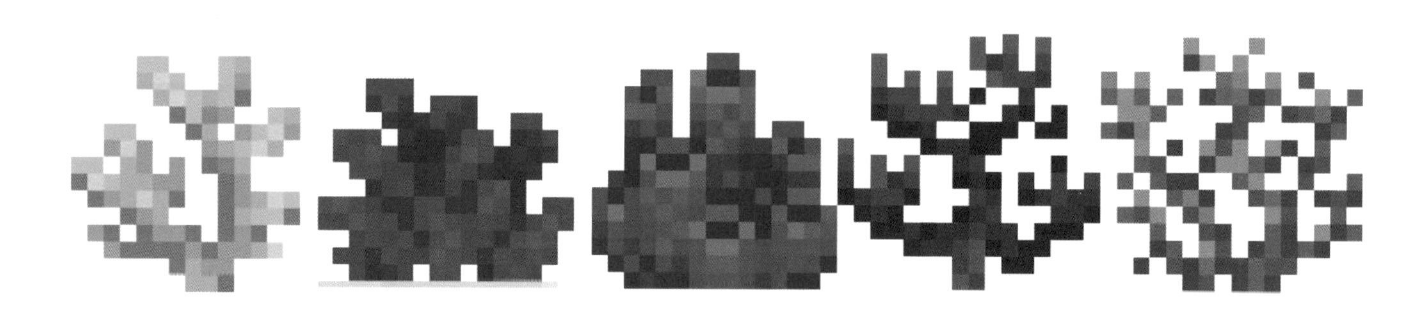

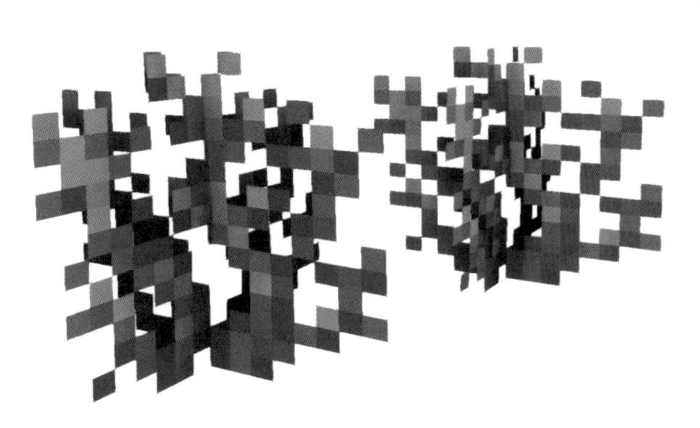

살아 있는 뇌 산호와 죽은 뇌 산호

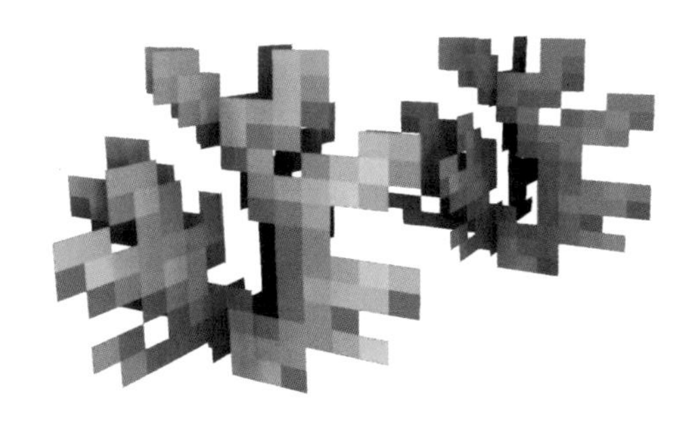

살아 있는 사방 산호와 죽은 사방 산호

살아 있는 거품 산호와 죽은 거품 산호

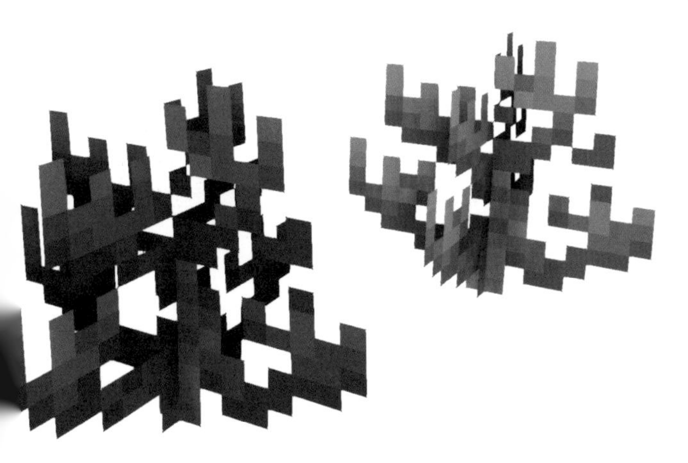

살아 있는 불 산호와 죽은 불 산호

산호는 어느 한 면이라도 물에 맞닿아 있어야 살 수 있습니다. 산호를 장식용으로 설치하고 싶다면 물 블록의 위쪽 절반에 반 블록을 놓고 반 블록 위에 산호를 놓아야 합니다.

따뜻한 바다 생물 군계에서는 흙, 조약돌 또는 모래에 뼛가루를 사용해 산호를 키울 수도 있습니다. 따뜻한 바다에 뼛가루를 뿌리면 해초도 돋아납니다.

산호 블록 Coral Blocks

산호 블록은 산호 고체 블록입니다. 암초에 만들어져 산호 지대를 이룹니다. 산호 블록 위에는 부채형 산호가 있는데 산호 블록과 마찬가지로 다섯 가지 종류가 있습니다. 산호 블록은 섬세한 손길 마법이 있는 곡괭이가 아닌 도구로 부수거나 한 면이라도 물에 닿지 않으면 잿빛으로 바뀌며 죽습니다.

함께 보기: 부채형 산호, 산호

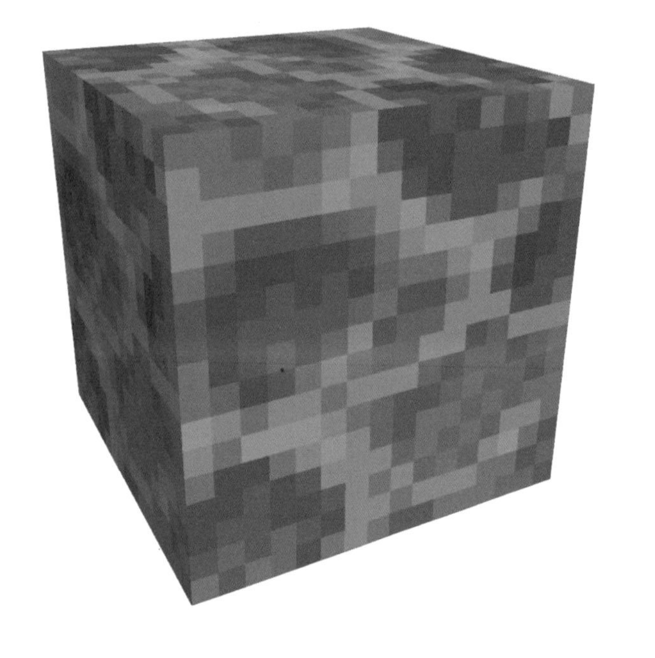

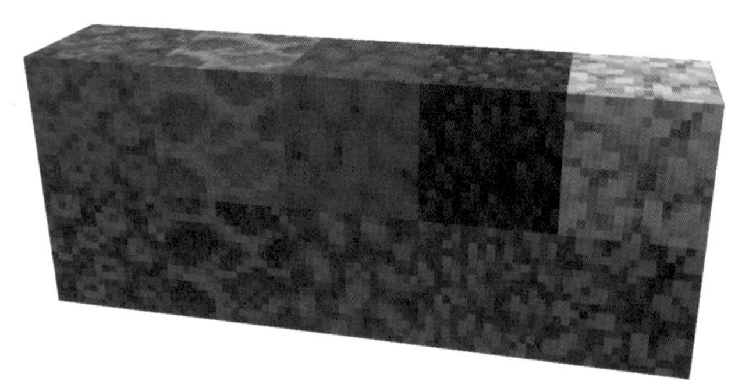

산호 블록과 죽은 산호 블록 비교: 왼쪽부터 관 산호, 뇌 산호, 거품 산호, 불 산호, 사방 산호

부채형 산호 Coral Fans

부채형 산호는 산호초 중 하나로 만들어지는 비고체 블록입니다. 산호와 산호 블록처럼 다섯 가지 종류가 있습니다. 산호, 산호 블록, 부채형 산호는 모두 같은 색입니다. 부채형 산호는 산호 블록의 옆면과 상단에서 자라납니다. 옆면에 놓을 수 있다는 것을 빼면 모든 것이 산호와 같습니다. 역시 섬세한 손길 곡괭이로만 부술 수 있고 적어도 한 면 이상 물에 닿아 있어야 살 수 있습니다.

함께 보기: 산호

왼쪽부터 불, 사방, 거품, 관, 뇌 산호의 옆면과 상단 모습

산호초 Coral Reefs

마인크래프트 산호초는 실제 산호초와 비슷한 구조를 지니고 있으며, 따뜻한 바다 생물 군계에서 다채롭게 만들어집니다. 산호 블록, 산호, 부채형 산호가 다양하게 섞여 있고 나무처럼 가지를 치는 것과 덩어리로 뭉쳐 있는 것이 있습니다.

산호와 그 주위에는 불우렁쉥이와 해초가 자랍니다. 산호초에서 열대어와 복어가 작은 무리를 지어 주변을 헤엄치며 다닙니다. 산호초는 산호 구조 덩어리가 몇 개 없는 작은 형태부터 길이가 수백 블록에 이를 만큼 커다란 형태도 있습니다.

각각의 산호 유형마다 뇌 산호, 거품 산호, 불 산호, 사방 산호, 관 산호의 다섯 가지 변종이 있는데 이 변종들은 실제 산호 종류와 비슷합니다. 물론 실제로 산호 '블록'은 없지만 부채형 산호는 있습니다.

함께 보기: 산호, 산호 블록, 부채형 산호

솜사탕 베타 Cotton Candy Betta

솜사탕 베타는 실제 물고기를 모델로 했으며, 마인크래프트 열대어 가운데 하나입니다. 색상 및 무늬 구성표에서는 장미-하늘 점박이입니다. 실제로 이 물고기는 베타과에 속하며 대부분 화려한 색상과 지느러미를 가지고 있습니다. 파란색과 분홍색이 섞여 무지개빛을 띠는 베타를 '솜사탕 베타'라고 부릅니다.

함께 보기: 열대어

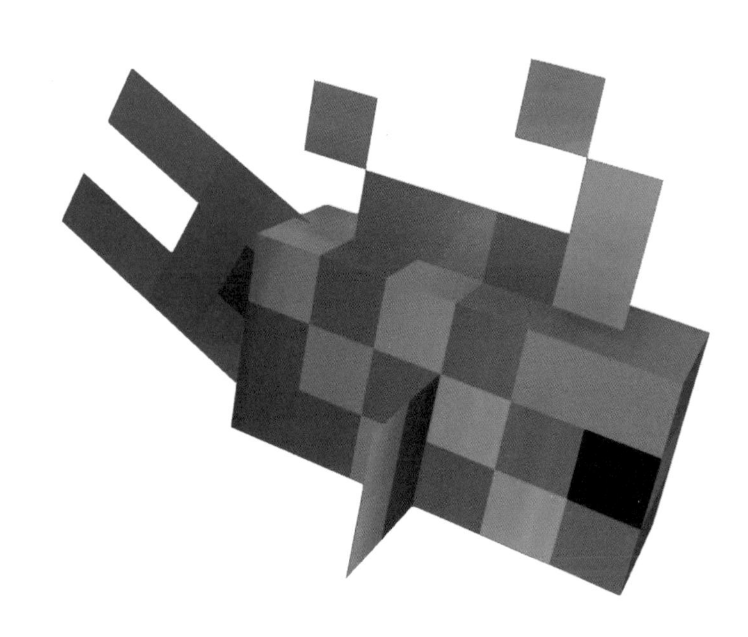

D

어두운 프리즈머린 Dark Prismarine

어두운 프리즈머린은 프리즈머린, 프리즈머린 벽돌과 함께 세 가지 프리즈머린 블록 가운데 하나입니다. 세 가지 모두 심해에서 발견되는 해저 유적을 만드는 데 사용하는 건축 블록입니다. 여기에 바다 랜턴을 더하면 전달체를 활성화하는 데 사용할 수 있는 4가지 블록이 됩니다. 세 가지 프리즈머린 블록 중 어두운 프리즈머린은 가장 희귀하며, 몇 가지 장식과 유적에 숨겨진 금 블록을 덮는 데 사용됩니다. 어두운 프리즈머린 블록을 직접 만들고 싶다면 먹물 주머니 주변에 프리즈머린 조각 8개를 놓으면 됩니다. 어두운 프리즈머린 반 블록과 계단을 만드는 데도 쓸 수 있습니다.

함께 보기: 프리즈머린, 프리즈머린 조각

흙 Dirt

흙은 해저를 구성하는 주요 블록 중 하나이며 보통 해안선과 섬 근처에 많습니다.

돌고래 Dolphin

돌고래는 마인크래프트에서 가장 복잡한 몹 중 하나입니다. 다양한 활동과 상호 작용을 하는데 중립적인 몹[2]에 속하며, 공격을 받을 때만 반격합니다. 얼어붙은 바다를 제외한 모든 바다에서 정기적으로 생성됩니다. 평소에는 실제 돌고래처럼 장난스럽게 행동하며, 보통 무리 지어 함께 수영하고 물 밖으로 뛰어오르기도 합니다. 또 수영하는 플레이어나 보트에 탄 플레이어를 쫓아가기도 하지요. 아이템(종이나 횃불 같은 아이템)을 근처에 떨어뜨리면 코로 아이템을 받아 서로 던지며 노는데, 이때 아이템을 조사하는 습성도 있습니다.

돌고래 근처에서 수영하면 돌고래의 우아함 효과를 받아 5초 동안 빠르게 수영할 수 있습니다. 돌고래는 수영하는 플레이어 가까이에서 따라다니는 것을 좋아하기 때문에 함께 수영하면 계속해서 효과를 얻을 수 있습니다.

돌고래에게 생대구나 연어를 먹이로 주면 전리품 상자가 있는 해저 폐허나 난파선으로 안내합니다. 그 상자를 부수면 돌고래는 그다음으로 가까이에 있는 난파선이나 폐허로 또 데려다 줍니다.

2) 돌고래는 중립적인 몹으로 먼저 공격을 받거나 도발한 경우에만 공격합니다. 평소에는 수동적입니다.

실제 돌고래처럼 마인크래프트의 돌고래도 가끔 공기로 호흡해야 합니다. 몇 분 동안 물속에 있으면 익사합니다. 이따금 물 밖으로 나와 호흡할 수 있게 해야 합니다.

돌고래 스탯

종류: 중립적
스폰: 따뜻한 바다 생물 군계부터 차가운 바다 생물 군계까지
체력: 10HP
경험치: 0
어려움 모드 피해: 4HP
보통 모드 피해: 3HP
쉬움 모드 피해: 2HP
가시로 주는 피해: 2HP
드롭: 생대구
희귀 드롭: 없음

돌고래를 해치거나 죽일 수는 있지만 주민이나 새끼 동물처럼 경험치 구슬이 드롭되지 않습니다.

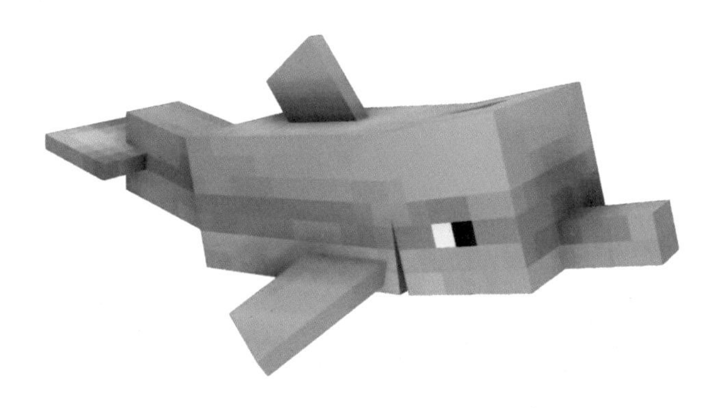

플레이어가 아이템을 던지면 돌고래가 물에서 뛰어올라 쫓을 것입니다.

생대구 한두 개가 드롭되기는 하지만 그게 전부입니다. 돌고래를 공격하면 근처에 있는 모든 돌고래들이 적이 되어 반격해 옵니다.

돌고래의 우아함 Dolphin's Grace

돌고래의 우아함은 돌고래 가까이에서 수영하는 플레이어가 받게 될 상태 효과를 말합니다. 이 효과는 플레이어의 수영 속도를 5초 동안 향상시킵니다(최대 속도: 초당 80블록까지 향상).

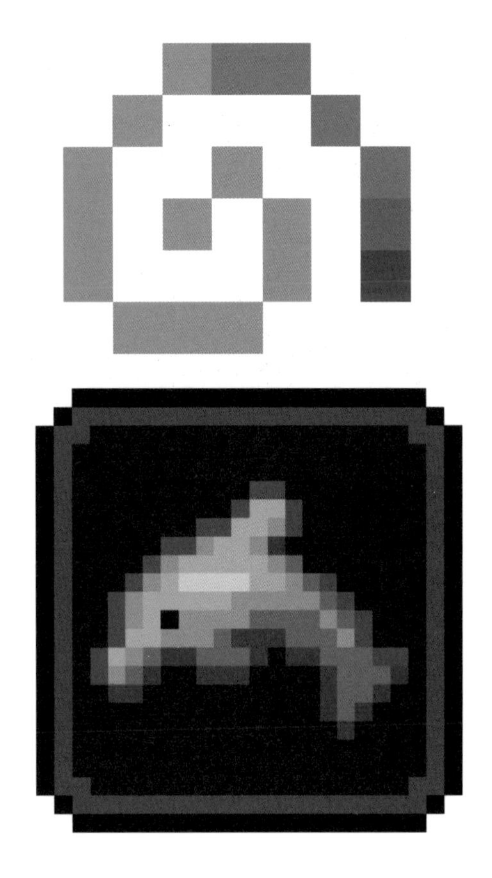

상태 효과

상태 효과는 게임에서 플레이어나 몹에게 주어지는 특별한 상태나 능력을 말합니다. 이로운 효과도 있고 해로운 효과도 있습니다. 물약은 수중 호흡을 비롯한 여러 가지 상태 효과를 줍니다. 또 활성화된 신호기나 전달체, 동굴 거미의 공격 그리고 좀비 고기 먹기도 상태 효과를 줍니다. 상태 효과에는 흡수, 전달체의 힘, 화염 저항, 성급함, 멀미, 독 등이 있습니다. 상태 효과의 영향을 받는 동안에는 소용돌이치는 입자가 나옵니다. 효과마다 입자 색이 달라지는데 화면 오른쪽 상단에 상태 효과 아이콘이 나오며 보관함에서도 볼 수 있습니다.

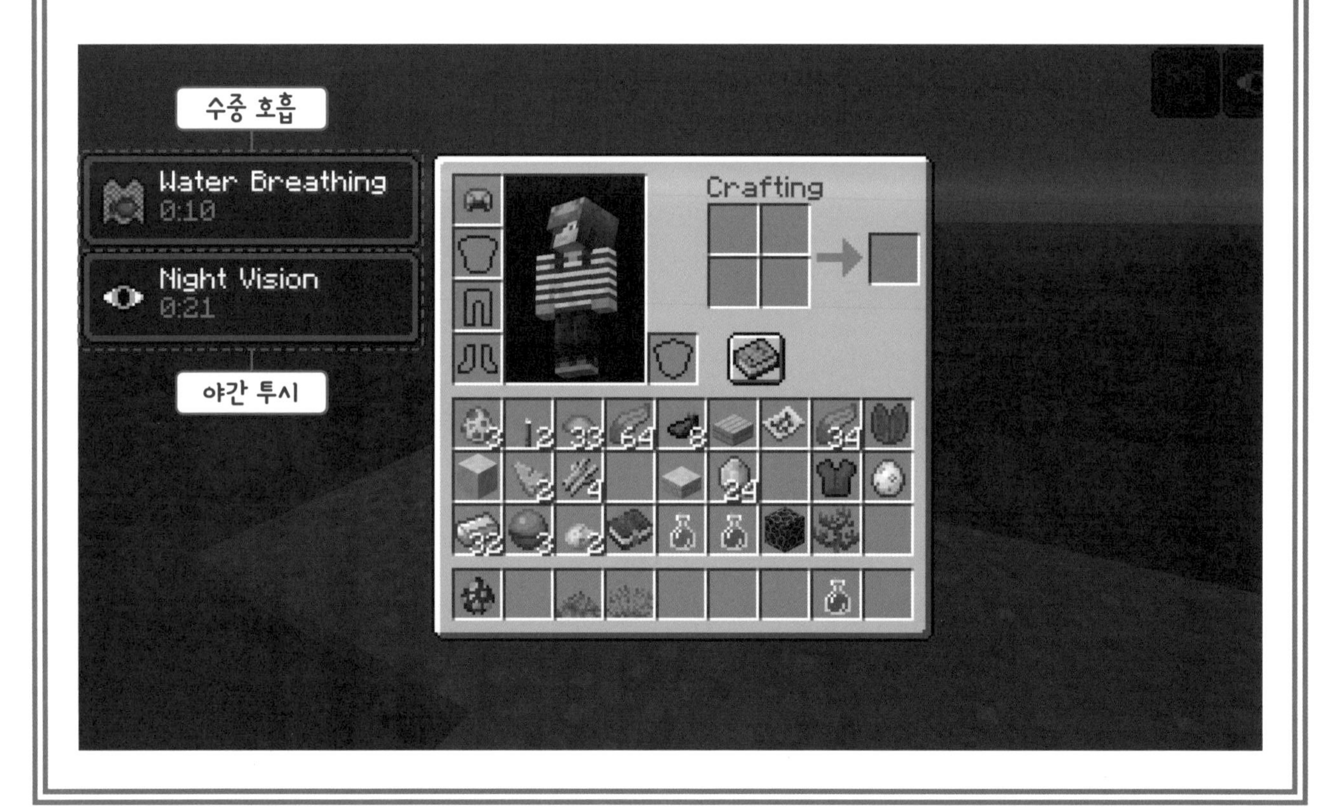

도티백 Dottyback

도티백은 실제 열대어의 이름과 색을 모델링한 마인크래프트 열대어입니다. 실제 도티백과(Pseudochromis)에는 100종 이상의 작은 열대어가 있습니다. 보통 자주, 노랑, 보라, 빨강, 주황, 파랑 등의 조합으로 화려한 색을 띠는데, 마인크래프트에서는 열대어 사각고기 무늬에 자두-노랑 색상을 사용합니다.

함께 보기: 열대어

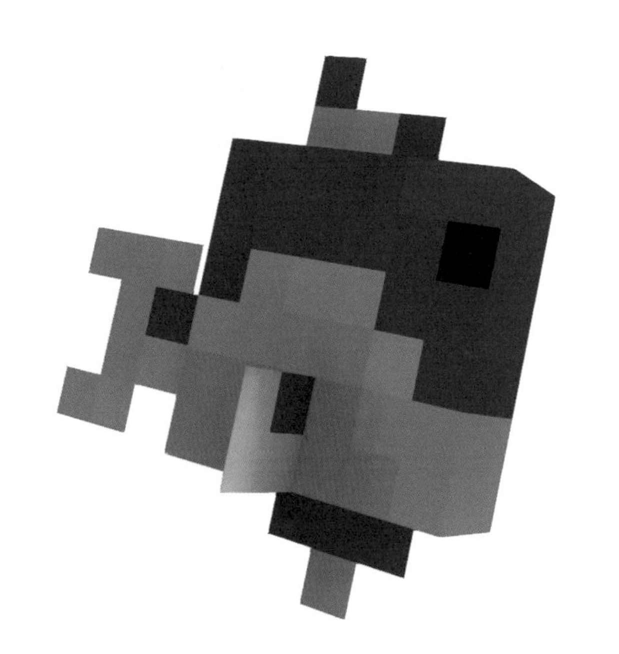

말린 켈프 Dried Kelp

말린 켈프는 켈프 용광로로 만들 수 있는 식료품 아이템입니다. 말린 켈프 하나당 닭다리 절반에 해당(1허기, 0.6포만감)하는 배고픔을 채워 주며, 식료품 가운데 가장 빨리 먹을 수 있습니다.

말린 켈프 9개로 말린 켈프 블록을 만들 수 있는데, 말린 켈프 블록은 용광로의 귀중한 연료가 됩니다. 이 블록 하나로 20개의 아이템을 제련할 수 있습니다. 만약 배가 고프다면 말린 켈프 블록을 다시 말린 켈프 9개로 바꾸어 먹을 수 있습니다.

드라운드 Drowned

드라운드는 어두운 물속에서 생성되는 변종 좀비입니다. 일반 좀비와 비교했을 때 체력과 근접 전투력은 같지만 훨씬 더 위험합니다. 밝기 레벨 7 이하인 물에서 만들어지기 때문에 낮 시간에도 안심할 수 없습니다. 또한 수영을 할 수 있어 물 위에 떠 있는 일반 좀비보다 빠르게 움직입니다.
드라운드의 약 15%는 삼지창을 가진 채로 스폰됩니다. 드라운드가 플레이어에게 삼지창을 던지면 9HP의 피해(하트 4.5)를 줄 수 있습니다.

드문 일이지만 물 밖으로 나왔다가 다시 되돌아갈 수 없게 된 드라운드는 수동적인 상태가 됩니다. 낮 동안 물속에 머물면서 플레이어가 물속으로 들어왔을 때만 헤엄쳐 와서 공격합니다. 그러나 밤에는 희생양을 찾아 수면 위로 올라오거나 육지까지 올라올 수 있습니다. 태양이 드라운드를 태울 수 없는 밤이 되면 일반 좀비처럼 주민과 철 골렘에게 위협이 됩니다. 드라운드는 거북의 적이기도 합니다. 아기 거북을 뒤쫓고 거북 알을 밟아 깨곤 합니다.

일반 좀비가 물속에 들어가 있으면 조심해야 합니다. 좀비 주민이 아닌 일반 좀비가 물속에서 30초 동안 있게 되면 몸을 부르르 떨다가 드라운드가 됩니다. 건조한 사막에 사는 변종 좀비 허스크는 이중 변이 과정을 거칩니다. 물속에 들어가면 먼저 일반 좀비로 변한 다음 다시 드라운드로 변합니다.

바다 한가운데 떠 있는 닭을 본 적이 있다면, 매우 드문 광경을 본 것입니다. 이 드라운드는 살아 있는 닭을 타고 다니는 '치킨 조키'라는 좀비입니다. 드라운드 치킨 조키는 아기 드라운드가 물속에서 닭을 탄 채 생성된 것입니다. 바다 위로 떠오른 닭 위에 타고 있던 아기 좀비가 햇볕에 바싹 구워진 채로 말이지요. 종종 근처에 좀비 살점이 떠다니는 것을 발견할 수도 있습니다.

드라운드 스탯

종류: 적대적
스폰: 빛 레벨이 7 이하인, 따뜻한 바다 생물 군계부터 차가운 바다 생물 군계까지
체력: 20HP
경험치(어른): 5
경험치(아기): 12
어려움 모드 피해: 4HP
보통 모드 피해: 3HP
쉬움 모드 피해: 2HP
삼지창 피해: 9HP
드롭: 썩은 살점, 금괴
희귀 드롭: 삼지창, 낚싯대, 앵무조개 껍데기

익사 Drowning

익사는 마인크래프트에서 입을 수 있는 피해 가운데 하나입니다. 물속에서 모험을 할 때는 HUD에 공기 방울 10개가 있는 산소 바가 나타납니다. 물속에 있으면 공기 방울이 점점 줄어들다가 완전히 없어지면 초당 약 2HP의 속도록 익사 피해가 일어납니다.

대부분의 몹은 물속에 있으면 수면으로 올라가려고 하며, 올라가지 못하면 익사합니다. 언데드, 오징어를 비롯한 수중 몹, 철 골렘은 익사하지 않습니다.

함께 보기: 수중 호흡

E–F

엘더 가디언 Elder Guardians

엘더 가디언은 적대적이고 희귀한 수중 몹으로 해저 유적에서만 발견됩니다. 일반 가디언보다 더 강하고 커서 일종의 보스 몹이라고 할 수 있습니다. 엘더 가디언과 가디언은 친척입니다. 보통 유적의 날개 부분에 해당하는 건물과 꼭대기 방에서 발견됩니다.

엘더 가디언은 가디언처럼 오징어와 플레이어를 공격하지만 많이 돌아다니지 않는 편입니다.

해저 유적이 생성될 때마다 엘더 가디언 세 마리가 스폰되며, 그 중 하나는 꼭대기 방에서 발견됩니다.

엘더 가디언은 원거리 레이저, 방어용 가시, 채굴 피로 방법으로 공격합니다. 먼저 50블록 범위 안에 있는 플레이어를 감지하면 5분 동안 채굴 피로III 상태 효과를 줍니다. 채굴 피로 공격을 받으면 곡괭이로 벽을 뚫거나 블록을 부수는 것이 불가능해집니다. 공격 자체가 상당히 섬뜩한데 갑자기 엘더 가디언의 유령 이미지가 소름 끼치는 비명과 함께 화면에 나타납니다.

플레이어가 엘더 가디언에게 가까이(약 14블록) 다가가면 레이저 빔을 쏘기 때문에 고체 블록 뒤에 숨지 않는 이상 피할 수 없습니다. 공격은 몇 초 동안 지속되는데 레이저 충전이 완료되면, 어느 순간 레이저가 끝나고 8HP(보통 난이도에서) 만큼의 피해를 받습니다. 또 가시가 펼쳐진 상태의 엘더 가디언을 공격하면 2HP 피해를 추가로 입게 됩니다.

함께 보기: 가디언, 해저 유적

엘더 가디언 스탯

종류: 적대적
스폰: 해저 유적, 리스폰 안 됨
체력: 80HP
경험치: 10
어려움 모드 피해: 12HP
보통 모드 피해: 8HP
쉬움 모드 피해: 5HP
가시로 인한 피해: 2HP
드롭: 생대구 1개, 프리즈머린 수정, 프리즈머린 조각, 스펀지
희귀 드롭: 대구 외의 다른 물고기

황적퉁돔 Emperor Red Snapper

황적퉁돔은 실제 열대어의 이름을 딴 마인크래프트 열대어입니다. 마인크래프트 색상 및 무늬 구성표에서는 백-적색 점토고기입니다. 실제 황적퉁돔은 도미의 한 종류로 상당히 큰 바닷물고기이며, 120센티미터까지 자라기도 합니다.

주로 암초에 서식하며 어릴 때는 보호를 받으려고 성게 가시 사이에서 생활하는 경우가 많습니다.

함께 보기: 빨간 통돔, 열대어

수중 마법 부여
Enchantments, Aquatic

물속에서 건축을 하거나 탐험을 할 때 굉장히 도움이 되는 마법들이 있습니다.

함께 보기: 수중 물약

투구: 친수성, 1레벨만 있음. 정상 속도로 채굴할 수 있습니다(투구가 없는 경우 절반 속도로 채굴하게 됩니다.).	
투구: 호흡, 1~3레벨. 각 레벨 당 수중 호흡을 15초씩 추가합니다.	
부츠: 물갈퀴, 1~3레벨. 물속에서 수평으로 더 빠르게 이동할 수 있습니다.	
삼지창: 찌르기, 1~5레벨. 수중 몹에게 추가 피해(2.5 HP)를 입힙니다. 단, 언데드 드라운드는 예외입니다.	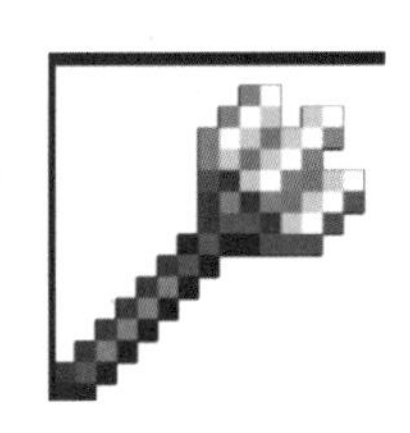
삼지창: 충절, 1~3레벨. 삼지창을 던지면 돌아옵니다. 높은 레벨일수록 더 빨리 돌아옵니다.	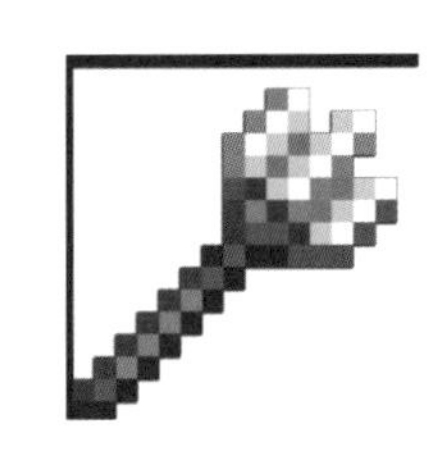
삼지창: 급류, 1~3레벨. 물속에 있거나 비가 올 때 삼지창을 던지면, 삼지창을 따라 움직이게 됩니다.	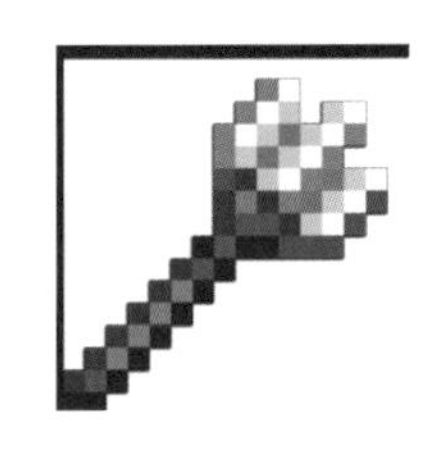

마법 부여

아이템에 특정 마법을 부여하고 싶다면 모루를 사용해 원하는 마법이 있는 책을 아이템과 조합해야 합니다. 또 마법 부여대를 사용해서 약간의 청금석과 경험치를 소비하면 랜덤 마법을 얻을 수 있습니다.

탐험 지도 Explorer Map

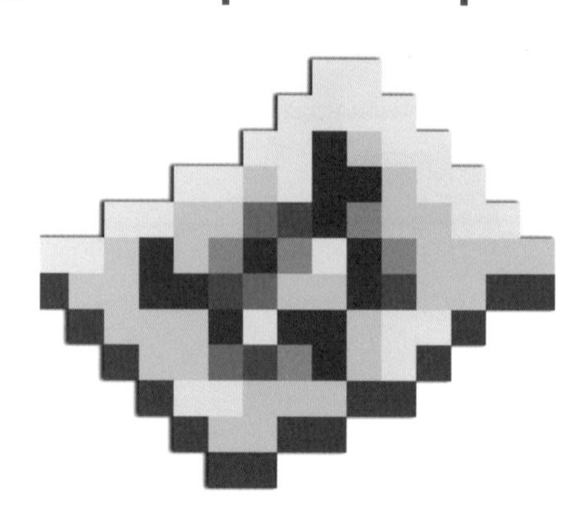

탐험 지도는 특별한 구조물이 있는 곳을 보여 주는 지도이며 세 종류로 나뉩니다. 삼림 대저택 위치를 나타내는 '삼림 탐험 지도', 해저 유적 위치를 나타내는 '해양 탐험 지도', 전리품 상자가 묻힌 곳을 보여 주는 '땅에 묻힌 보물 지도'가 있습니다. 앞의 두 가지 지도는 주민과 거래해서 얻을 수 있지만 세 번째 지도는 난파선과 해저 폐허를 탐험해야 얻을 수 있습니다.

탐험 지도는 512×512 블록 면적의 육지를 보여 주고 육지 테두리(주황색과 갈색 줄무늬)가 있어서 주변 바다와 구분이 됩니다. 지도에는 목표 구조물 위치를 알려 주는 아이콘과 플레이어가 어디에 있는지 보여 주는 흰색 마커가 표시됩니다.

만약 플레이어가 지도에 표시되는 영역을 벗어나면 흰색 마커는 지도 경계선에 붙어서 표시됩니다. 지도 가장자리에서 1027블록 이상 떨어져 있으면 마커 크기가 작아지고 1027블록 안에 있으면 커집니다.

지도를 사용하려면 우선 북쪽을 바라보고 지도를 열어 봅니다. 지도의 상단은 언제나 북쪽입니다. 플레이어가 향하고 있는 방향이죠. 만약 플레이어의 위치를 표시하는 흰색 마커가 왼쪽 경계선에 표시된다면 보물이 있는 지역에 도착하기 위해서는 오른쪽, 즉 동쪽으로 이동해야 합니다(반대의 경우도 마찬가지). 같은 방법으로 흰색 마커가 상단 경계선에 있으면 남쪽으로 이동하고 지도 하단에 있으면 북쪽으로 이동하면 됩니다.

플레이어가 이동하면 흰색 마커도 지도 안에서 움직입니다. 지도가 가리키는 영역 안으로 들어가면 마커에 삼각형 끝점이 생겨서 향하고 있는 방향을 보여줍니다. 그리고 주변 위치가 지도상에서 특정 색으로 채워지기 시작합니다.

탐험 지도 읽기
Reading an Explorer Map

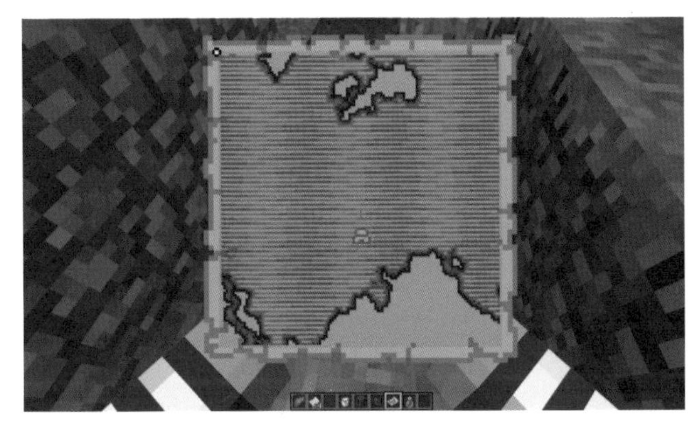

왼쪽 상단에 플레이어 아이콘이 흰색으로 작게 표시되어 있습니다. 플레이어가 현재 유적 근처에 있지 않다는 뜻입니다.

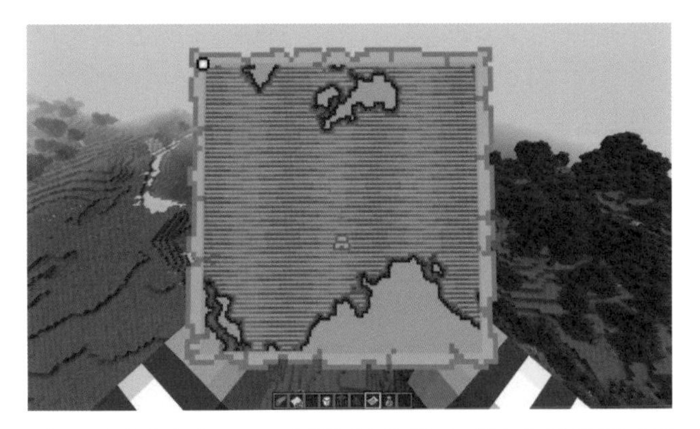

지도 가장자리에서 1027블록 안에 있기 때문에 흰색 플레이어 아이콘이 커진 모습입니다.

지도 가장자리에 도달하면 지도가 채워지기 시작합니다.

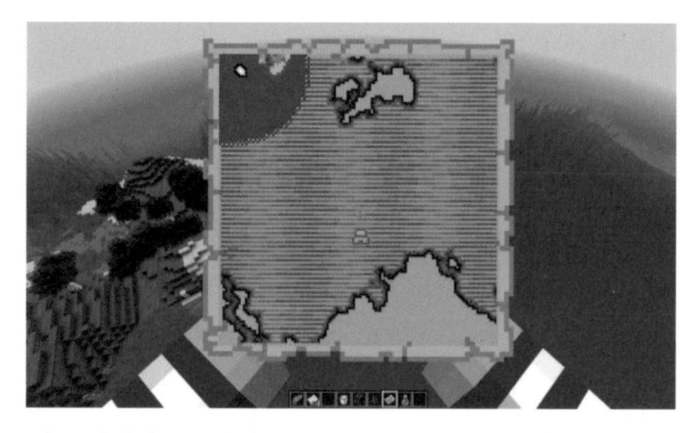

지도 영역에 들어가면 플레이어 아이콘에 뾰족한 모서리가 생기는데, 모서리는 플레이어가 바라보는 방향을 가리킵니다.

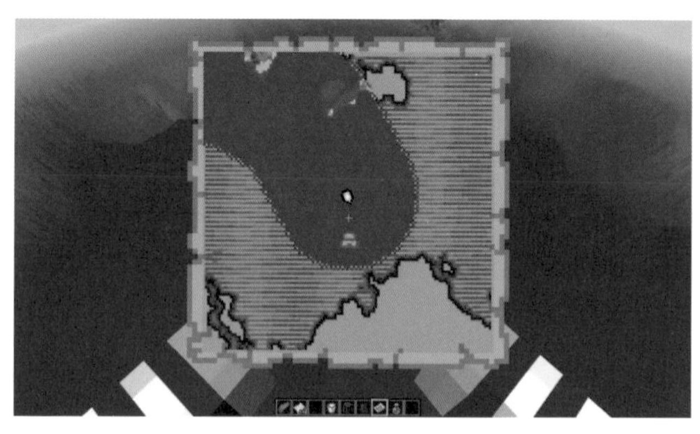

목표 지점으로 가는 동안 지도가 색으로 계속 채워집니다.

지도를 완전히 채우려면 이리저리 돌아다녀야 합니다.

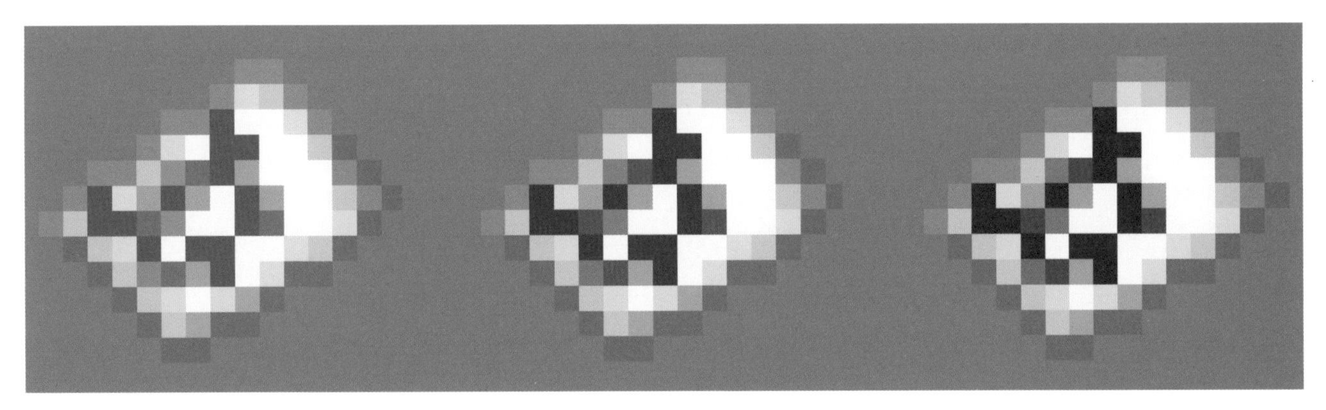

탐험 지도는 세 종류가 있으며 아이콘 색이 각각 다릅니다. 해양 지도는 청록색, 삼림 지도는 회갈색, 땅에 묻힌 보물 지도는 약간 어두운 회색입니다.

물고기 Fish

1.13 수중 업데이트 전까지 물고기는 단순한 아이템이었습니다. 낚시를 하면 살아 있는 식료품 아이템으로 나오지만 바다에서 헤엄치지는 않았습니다. 하지만 1.13 업데이트 때 물고기를 몹으로 만들었습니다. 물고기 몹은 네 종류이며 대구, 연어, 복어, 열대어입니다. 물고기마다 행동이 조금씩 다른데 어떤 물고기든 물 밖에 오래 있을 수 없고 모든 물고기는 물 양동이를 사용해 잡을 수 있습니다.

물고기 스탯

체력: 3HP

드롭: 종류마다 정해진 물고기 아이템 1개, 뼛가루(희귀)

경험치: 0

함께 보기: 물고기가 담긴 양동이, 대구, 복어, 연어, 열대어

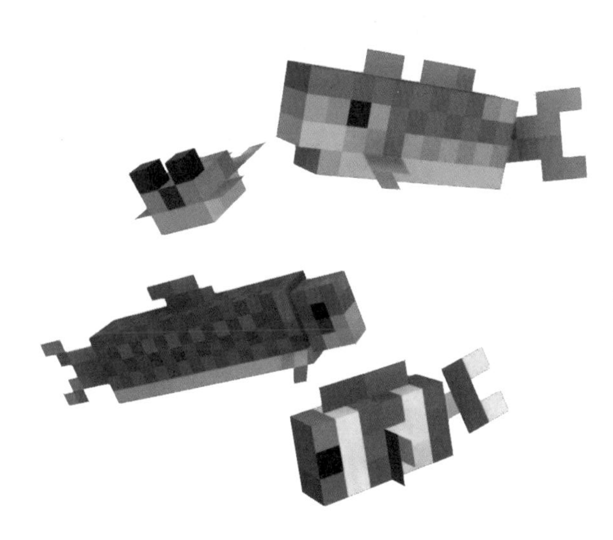

네 종류의 물고기

얼어붙은 바다 Frozen Ocean

얼어붙은 바다는 얼음판과 빙산 사이사이에 있기 때문에 너무 어두워서 수면이 짙은 보라색으로 보입니다. 얼어붙은 바다는 켈프나 해초가 자라기에는 너무 차갑지만 연어, 오징어, 드라운드가 살고 있고, 물 위에서는 북극곰도 볼 수 있습니다. 이렇게 낮은 온도에서는 스켈레톤 대신 스트레이가 스폰됩니다.

깊고 얼어붙은 바다는 얼어붙은 바다 생물 군계와 매우 비슷하지만 둘은 중요한 차이가 있습니다. 깊고 얼어붙은 바다는 해수면이 얼음으로 덮여 있지 않고 해저 유적이 생성될 만큼 깊다는 점입니다.

깊고 얼어붙은 바다 생물 군계는 얼음으로 덮여 있지 않습니다.

얼어붙은 강 Frozen River

얼어붙은 강은 강 생물 군계에서 변화된 형태로 눈 덮인 툰드라에서만 발견됩니다. 보통 강 생물 군계처럼 바닥은 조약돌, 점토, 모래로 이루어져 있습니다. 하지만 y=63 높이에 있는 수면은 얼음 블록으로 이루어진 부분도 있습니다. 얼어붙은 강은 강 생물 군계 안과 그 옆을 따라서 생기는데, 이런 경우 강 가장자리에는 얼음이 생기지만 가운데에는 물 블록이 있습니다. 여기에는 해초, 오징어, 연어가 서식합니다.

얼어붙은 강 생물 군계는 얼음이 덮이지 않은 일반 강 생물 군계와 섞여 있습니다.

G-H

촉수 Goatfish

촉수는 마인크래프트 열대어 가운데 하나입니다. 마인크래프트 색상 및 무늬 구성표에서 흰-노랑 점박이입니다. 촉수과에 속하는 물고기는 매우 많지만 전부 열대어인 것은 아닙니다. 실처럼 생긴 수염으로 강의 밑바닥을 탐지하고 색을 바꾸기도 합니다. 열대 촉수는 산호초에 삽니다.

함께 보기: 열대어

조약돌 Gravel

조약돌은 따뜻한 바다부터 깊고 얼어붙은 바다까지 모든 바다를 이루고 있는 블록입니다. 조약돌 블록을 공중에서 다른 블록 옆에 붙이면 밑으로 떨어지고 그 아래 가장 가까이 있는 블록 위에 놓입니다. 이런 특성은 용암 웅덩이나 깊은 물을 메울 때 매우 편합니다. 하지만 위험도 있습니다. 떨어지는 조약돌 기둥 바로 아래 있다가 조약돌을 피하지 못하면 질식할 수 있습니다. 떨어지는 조약돌이 횃불 같은 비고체 블록을 만나면 그 위에 배치되지 않고 아이템의 형태로 분해됩니다.

조약돌의 주성분은 거친 흙과 콘크리트 가루 블록입니다.

가디언 Guardian

가디언은 적대적인 수중 몹입니다. 해저 유적 근처와 안쪽에서 스폰됩니다. 오징어를 무자비하게 공격하는데 가까이 있는 플레이어도 마찬가지입니다. 주요 공격 모드는 눈에서 발사하는 레이저 빔입니다. 하지만 충전하는 데 시간이 걸리기 때문에 그 사이에 시선에서 벗어나면 공격을 피할 수 있습니다.

가디언에게는 가시도 있는데, 근접 무기로 공격하는 플레이어에게 2HP의 피해를 줍니다. 가디언은 물 밖에서도 살 수 있지만 널브러진 것처럼 보입니다. 공격하지 않을 때는 해저나 그 외 단단한 곳으로 천천히 가라앉으며 가시를 세웁니다.

가디언 스탯

종류: 적대적
스폰: 해저 유적 근처의 물속
체력: 30HP
경험치: 10
어려움 모드 피해: 9HP
보통 모드 피해: 6HP
쉬움 모드 피해: 4HP
가시로 인한 피해: 2HP
드롭: 프리즈머린 수정, 프리즈머린 조각, 생대구
희귀 드롭: 그 외 물고기

가디언의 눈

가디언과 엘더 가디언은 큰 눈 하나를 가지고 있는데, 투명화 물약을 마시고, 갑옷을 입지 않은 경우에도 플레이어를 늘 쫓고 있습니다. 가디언을 프로그래밍할 때 머리를 플레이어 쪽으로 향하게 만들었는데, 눈이 머리에 있기 때문에 사실상 눈은 머리로 프로그래밍 되었습니다.

함께 보기: 엘더 가디언

바다의 심장 Heart of the Sea

바다의 심장은 땅에 묻힌 보물 상자에서만 발견되는 희귀한 아이템입니다. 바다의 심장은 짙은 청록색 구 모양으로 가운데에 테두리가 있습니다.
현재 바다의 심장은 앵무조개 껍데기 8개로 둘러싸서 전달체를 제작하는 용도로만 사용됩니다.

함께 보기: 전달체, 앵무조개 껍데기

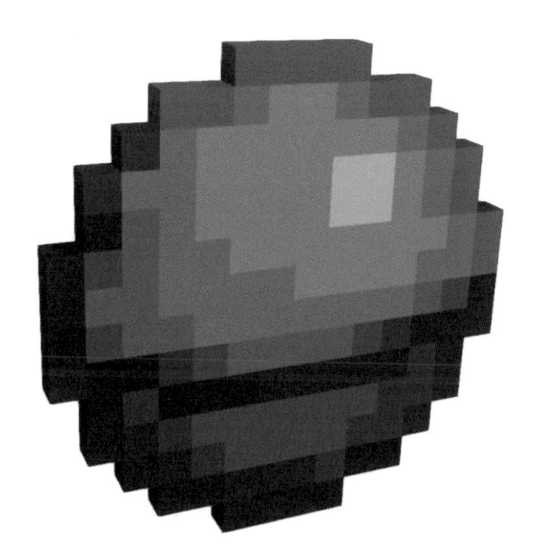

I—J—K

얼음 Ice

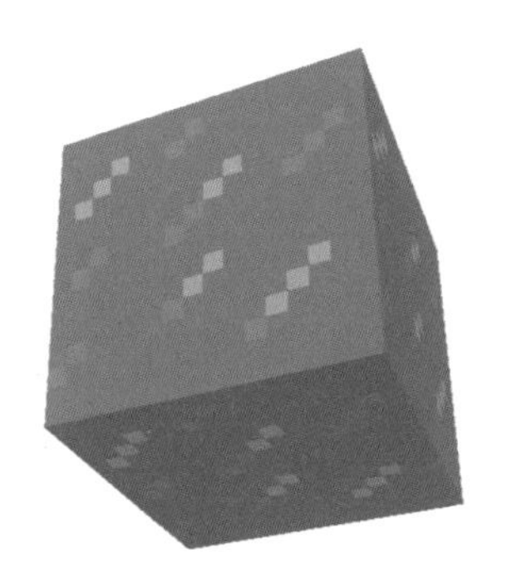

얼음은 얼어붙은 생물 군계에서 자연적으로 생성되는 블록입니다. 이글루와 빙산, 역 고드름에서 얼음을 찾을 수 있습니다. 눈 덮인 생물 군계와 얼어붙은 바다에서는 물 근원 블록 바로 위가 하늘입니다. 이 중에 옆면 가운데 하나가 고체 블록이면 물 근원 블록이 얼음으로 바뀝니다. 얼음은 녹기도 하는데, 옆에 횃불이나 발광석처럼 밝기 11이 넘는 광원 블록이 있는 경우에 녹습니다.

다른 블록 위에 놓인 얼음 블록을 부수면 얼음이 물 근원으로 바뀝니다. 섬세한 손길 곡괭이를 사용해서만 얼음을 블록으로 채집할 수 있습니다.

얼음은 부분적으로 투명한 블록이며, 북극곰을 제외한 다른 몹은 얼음 위에 스폰되지 않습니다.

함께 보기: 빙산, 꽁꽁 언 얼음, 푸른얼음

얼음이 미끄러울 때

얼음 블록에서 변형된 블록들(얼음, 푸른얼음, 꽁꽁 언 얼음)은 매우 미끄럽습니다. 플레이어가 얼음 위에 있으면 약간 미끄러질 수도 있습니다. 아이템도 마찬가지입니다. 푸른얼음이 가장 미끄러우며, 꽁꽁 언 얼음, 얼음 순으로 미끄럽습니다. 얼음 블록 위에 투명한 반 블록을 놓으면 올려놓은 블록도 얼음처럼 미끄러워집니다. 이 방법을 이용하면 얼음 위에서 빠르고 멋지게 이동할 수 있습니다.

빙산 Iceberg

빙산은 얼어붙은 바다와 깊고 얼어붙은 바다에서 자연스럽게 만들어지는데, 바다에 떠 있는 것처럼 보입니다.
구조물의 일부는 수면 아래 있지만 대부분은 수면 위에서 볼 수 있습니다. 작은 덩어리에서 거대한 봉우리까지 크기도 다양합니다. 보통 꽁꽁 언 얼음으로 되어 있고 점점이 얼음과 푸른얼음이 박혀 있기도 합니다. 빙산 맨 위에는 눈이 쌓여 있습니다.

찌르기 Impaling

찌르기 마법은 삼지창에 부여되는 마법입니다. 검의 날카로움과 같으며 돌고래, 가디언, 물고기, 오징어, 거북 등 물속에 사는 몹을 공격할 때 근접, 원거리 상관없이 2.5HP의 추가 피해를 줍니다. 하지만 다른 종류의 몹에게 쓸 수 없으며 드라운드에게도 이 효과가 적용되지 않습니다.

함께 보기: 삼지창

켈프 Kelp

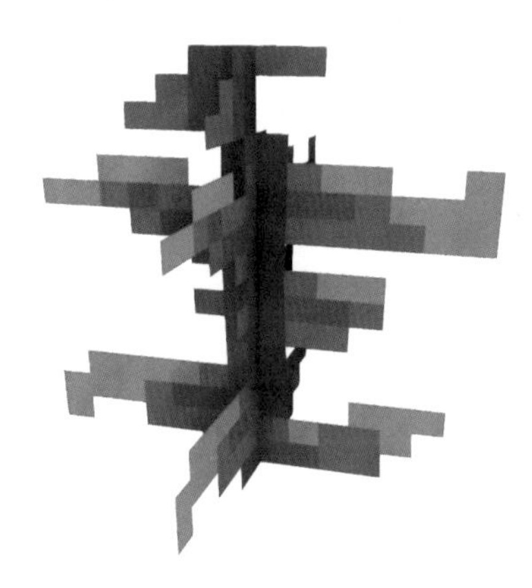

켈프는 물속에서만 자라는 수생 식물로 베드락 에디션에서는 '다시마'로 불립니다. 마인크래프트에서 처음으로 동작이 더해진 수생 식물로 잎사귀가 앞뒤로 흔들려 물속을 생동감 넘치게 표현합니다. 바다, 미지근한 바다, 차가운 바다 생물 군계 등에서 찾을 수 있습니다.

켈프는 빛을 쬐지 않고 물속에 놓아두기만 해도 수면 근처까지 자라납니다. 베드락 에디션에서는 켈프에 뼛가루를 뿌리면 더 빨리 자라게 할 수 있습니다.

켈프를 수확하고 싶다면 해저에서 두 번째 블록을 부수면 됩니다. 두 번째 블록을 부수면 그 위 모든 켈프 블록도 같이 부서집니다. 후렴목이 부서질 때와 같습니다.

켈프 마법

켈프에는 흐르는 물을 물 근원 블록으로 바꾸는 독특한 특징이 있습니다. 맨 위층에 물 근원을 놓으면 아래는 흐르는 블록으로 채워지고 흐르는 물 맨 아래층부터 켈프를 쌓아 올리면 됩니다. 모든 흐르는 물 블록이 근원 블록이 되고 넓은 지역을 쉽게 물로 채울 수 있습니다.

켈프는 해저에서부터 수면 근처 물 블록까지 자랍니다.

L–M–N

충절 Loyalty

충절 마법은 삼지창에만 부여됩니다. 충절 마법이 부여된 삼지창은 던져도 저절로 되돌아옵니다. 충절 마법은 레벨 3까지 있으며, 레벨이 높을수록 삼지창이 돌아오는 속도는 빨라집니다. 삼지창 마법은 급류 마법과 동시에 쓸 수 없습니다.

함께 보기: 삼지창, 급류

미지근한 바다 Lukewarm Ocean

미지근한 바다는 물색이 하늘색에 가까우며, 따뜻한 바다보다는 아주 약간 어둡습니다. 미지근한 바다의 해저는 대부분 모래로 구성되어 있는데, 종종 점토와 흙, 조약돌을 발견하기도 합니다.

미지근한 바다에는 켈프, 해초가 빽빽하게 자라 있으며, 해저 폐허와 난파선을 발견할 수도 있습니다. 이곳에서 만들어지는 해저 폐허는 대부분 사암 블록으로 이루어져 있습니다.

미지근한 바다 생물 군계는 대구, 돌고래, 드라운드, 복어, 오징어, 열대어가 스폰됩니다. 깊고 미지근한 바다는 미지근한 바다보다 깊이가 두 배 더 깊어서 해저 유적이 생성될 수 있습니다. 그리고 해적 유적을 지키는 가디언과 엘더 가디언도 함께 스폰됩니다.

마그마 블록 Magma Block

마그마 블록은 오버월드 수중 지역 중에서도 해저 폐허나 협곡 바닥에서 발견됩니다. 실제 마그마는 땅속 깊은 곳에서 암석이 녹아 반액체로 된 물질이 땅 위로 흘러나온 것입니다. 마인크래프트 세계의 마그마는 흐르지 않지만 용암처럼 피해를 입힙니다. 마그마 블록 위에 서 있으면 개체는 틱 당 1HP의 피해를 받습니다. 하지만 시프트 키를 누르면 피해를 피할 수 있습니다. 마그마 블록의 밝기는 3레벨입니다.

마그마 블록 위에 물 근원 블록이 있으면 물속에서 거품 기둥이 만들어집니다. 마그마로 활성화된 거품 기둥은 소용돌이 역할을 하는데, 소용돌이는 거품 기둥에 안에 들어오는 개체(보트에 탄 플레이어 포함)를 마그마 블록으로 끌어당깁니다.

팁: 마그마 블록을 물속에 배치하면, 그 위에 은신해서 숨을 쉴 수 있습니다.

함께 보기: 거품 기둥

깃대돔 Moorish Idol

깃대돔은 실제 물고기 이름을 딴 마인크래프트 열대어 가운데 하나입니다. 마인크래프트 색상 및 무늬 구성표에서는 흰-회색 반짝이입니다. 실제 깃대돔은 흰색, 검은색, 노란색의 선명한 띠가 있습니다.

함께 보기: 열대어

버섯 들판 해안 Mushroom Field Shore

버섯 들판 해안은 버섯 들판 생물 군계 중에서도 아주 희귀한 변종입니다. 버섯 들판 가장자리나 버섯 들판 사이에 있는 강, 바다와 마주치는 곳에 생성됩니다. 버섯 들판 해안 생물 군계는 물, 균사체 블록, 모래, 점토, 흙으로 이루어져 있습니다.

앵무조개 껍데기 Nautilus Shell

앵무조개 껍데기는 바다의 심장과 함께 전달체를 만드는 데 사용됩니다. 실제로는 바다에 사는 달팽이와 비슷한 생물입니다. 마인크래프트에서는 앵무조개 자체는 없고, 껍데기만 있습니다. 앵무조개 껍데기는 낚시에서 보물 아이템으로 나오거나 드라운드 드롭으로 얻을 수 있습니다. 드라운드가 앵무조개 껍데기를 손에 들고 있다 죽을 때 앵무조개 껍데기를 드롭합니다.

흑요석 Obsidian

흑요석은 수중 협곡 바닥에 있는 마그마와 함께 놓여 있습니다. 용암 호수 근처에 물이 흘러들어서 생성되기도 합니다. 용암 블록과 만나는 곳이라면 물속, 물 밖 어디서든 흑요석을 찾을 수 있습니다. 소수성 흑요석의 공급원은 네더나 오버월드에 네더 차원문이 생기면 만들어지며, 삼림 대저택에서는 나무 모양으로 생성됩니다. 흑요석은 마인크래프트 블록 가운데 가장 튼튼한 블록 중 하나입니다. 폭발에 저항할 수 있으며 신호기, 마법 부여대, 엔더 상자, 네더 차원문을 만드는 데 사용됩니다.

바다 Ocean

바다는 해양 생물 군계 중 가장 흔히 볼 수 있습니다. 수면은 파란색을 띠는데 차가운 바다보다는 밝고 미지근한 바다보다는 어둡습니다.

해저는 보통 조약돌로 이루어져 있고 해안선 근처는 점토, 흙, 모래가 섞여 있습니다. 바다 생물 군계에는 켈프, 해초, 석조 유적, 난파선 등이 있습니다. 바닷속에서 대구, 돌고래, 드라운드, 오징어가 스폰되며, 깊은 바다 변종에는 해저 유적도 있습니다. 물론 엘더 가디언, 가디언과 함께 생성됩니다.

해양 탐험 지도 Ocean Explorer Map

해양 탐험 지도는 탐험 지도의 한 종류입니다. 해저 유적 위치를 알려 주는데 지도 제작자 주민(흰 옷을 입은 사람)으로부터 살 수 있습니다.

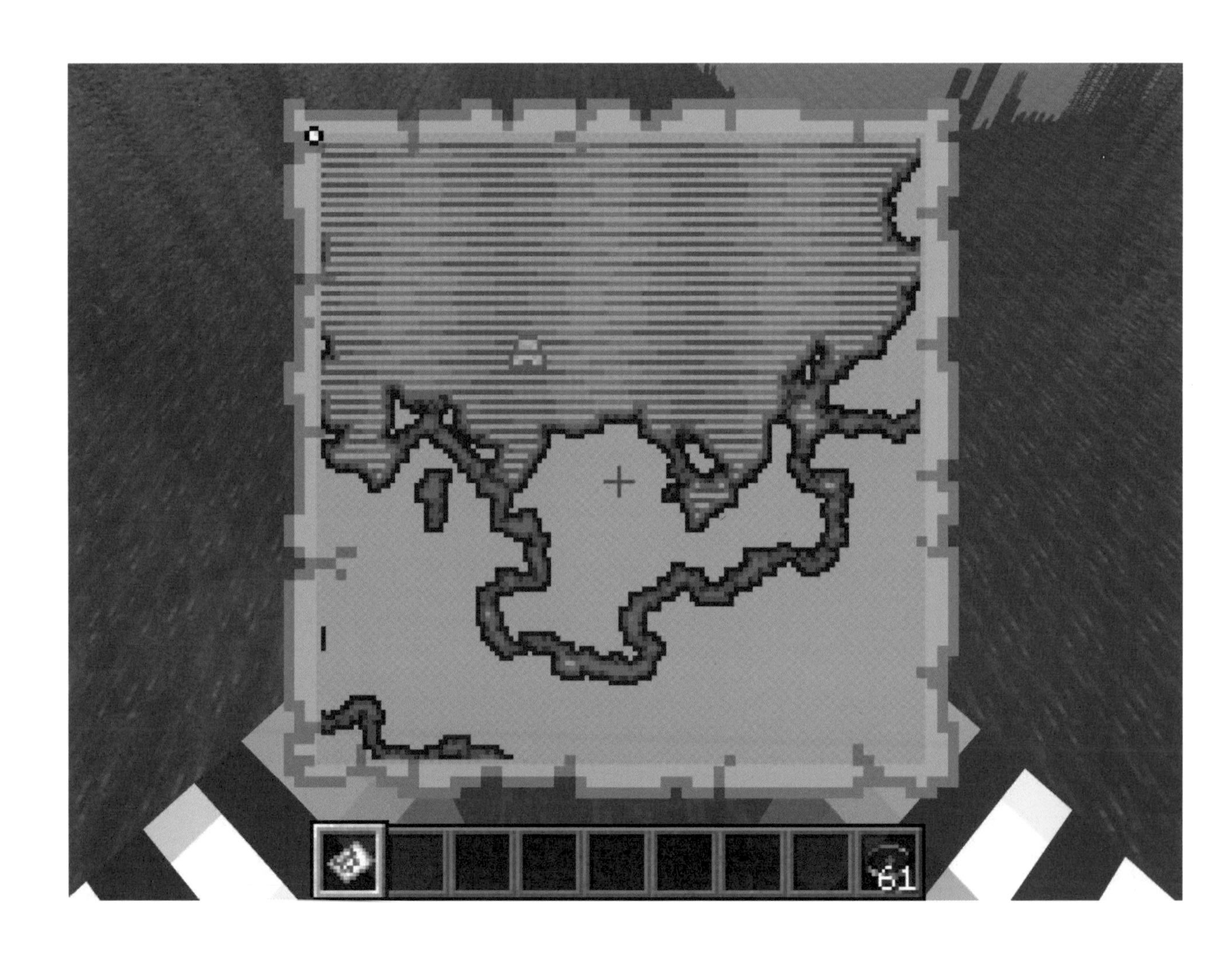

탐험 지도는 나침반 한 개와 에메랄드 12~20개와 교환할 수 있습니다. 지도는 지도 제작자의 마을 가까이 있는 유적만 표시되는 게 아니기 때문에 유적을 찾으려면 먼 거리를 이동해야 할 수도 있습니다.

함께 보기: 탐험 지도

해저 Ocean Floor

해저는 크게 두 가지 블록으로 이루어져 있습니다. 차가운 바다는 조약돌로, 따뜻한 바다는 모래로 이루어져 있습니다. 깊은 바다 생물 군계는 y=32 이하까지 내려가고 협곡 바닥은 y=11까지 낮아집니다. 일반 바다 생물 군계의 해저층은 평균 약 y=45에 위치하고 있습니다. 하지만 오르내림이 심해서 얕고 깊은 협곡을 이루거나, 해안선 또는 바다 한가운데에 급격하게 솟아올라 크고 작은 섬을 만들기도 합니다.

해저나 협곡 안에서는 모든 종류의 암석이나 광석을 발견할 수 있습니다. 광석을 따라 돌을 캐다 보면 석탄, 철, 금과 같은 블록을 구할 수 있습니다.

함께 보기: 물 생물 군계

해저 유적 Ocean Monument

해저 유적은 바닷속에서 생성되는 가장 큰 규모의 건축물 중 하나입니다. 바다 생물 군계 중에서 깊은 바다 생물 군계에만 있습니다. 해적 유적은 프리즈머린, 프리즈머린 벽돌, 어두운 프리즈머린, 바다 랜턴으로 이루어졌습니다.

해저 유적을 찾기 위해서는 지도 제작자 주민과 거래해서 해양 탐험 지도를 얻는 것이 좋습니다. 해양 탐험 지도는 한 곳의 해저 유적 위치를 알려 줍니다.

해저 유적에는 거대한 기둥이 있는 입구와 길이가 긴 건물 두 채가 있습니다. 큰 날개 건물 길이는 유적의 길이와 맞먹습니다. 두 날개 건물은 유적 뒤쪽의 긴 복도로 서로 연결되어 있습니다. 두 날개 건물 중 하나는 많이 개방되어 있고 유적과 함께 생성된 엘더 가디언 세 마리 중 하나가 있습니다. 또 다른 날개 건물 안에 있는 방에 두 번째 엘더 가디언이 있으며, 마지막 엘더 가디언은 두 날개 건물 사이에 있는 본관 건물 꼭대기 방에 있습니다. 본관 건물의 방은 최소 6개가 무작위로 만들어집니다.

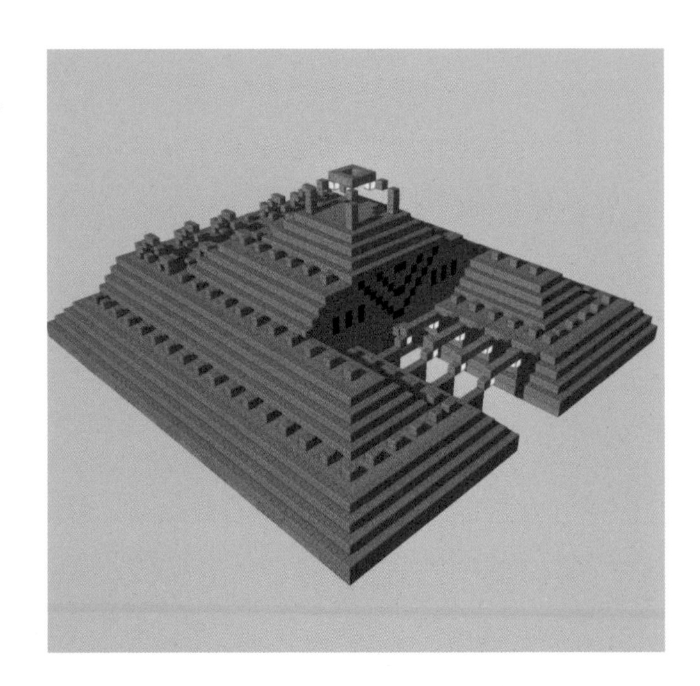

내부에는 수많은 방들을 이어 주는 좁은 복도가 있는데 복도는 헤엄쳐서 다니기에 알맞게 되어 있습니다. 보물의 방은 대부분 가운데 즈음에 있고, 어두운 프리즈머린 구조물 속에 금 블록이 숨어 있습니다. 건물 꼭대기 근처에 작은 방이 있는 경우가 있는데, 이 방에는 물 블록을 흡수할 수 있는 스펀지가 여러 개 있습니다.

해저 유적에서는 엘더 가디언 외에도 일반 가디언 몹이 안팎으로 스폰됩니다. 해저 유적은 오버월드에서 가디언이 생성되는 유일한 곳입니다.

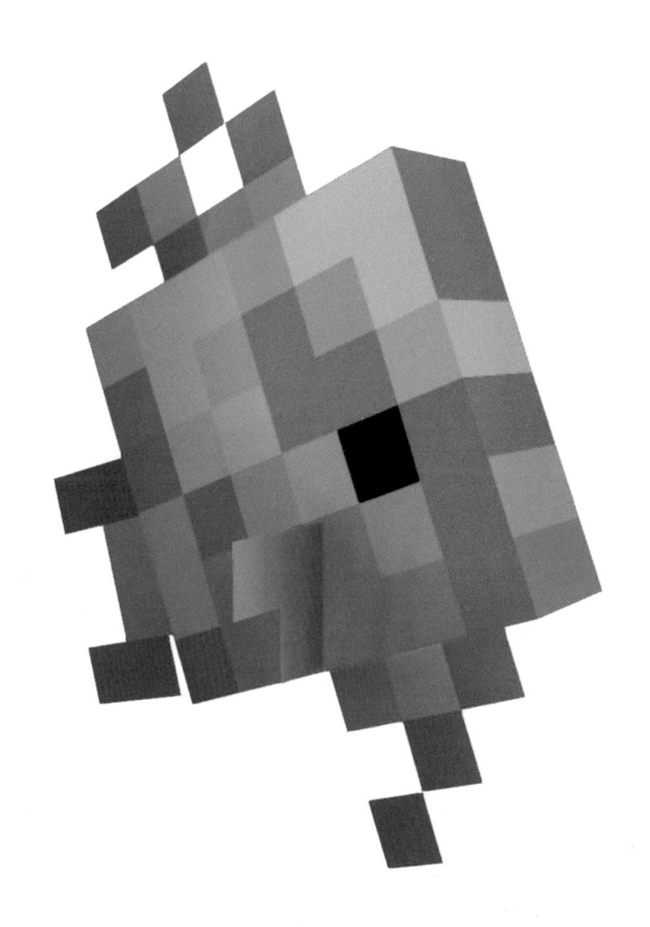

오네이트(화려한) 나비고기 Ornate Butterflyfish

오네이트 나비고기(베드락 에디션에서는 오네이트 나비)는 실제 물고기 이름을 딴 마인크래프트 열대어 가운데 하나입니다. 마인크래프트 색상 및 무늬 구성표에서는 흰-주황 점토고기입니다. 실제로 나비고기과에 속하는 오네이트 나비고기는 놀라울 정도로 독특한 색깔과 무늬를 갖고 있습니다. 파란색, 녹색, 연보라색, 혹은 흰색 바탕 위에 주황색과 검은색 줄무늬가 있습니다.

함께 보기: 나비고기, 열대어

꽁꽁 언 얼음 Packed Ice

꽁꽁 언 얼음은 마인크래프트에서 자연적으로 만들어지는 세 가지 얼음 블록 중 하나입니다. 얼어붙은 바다, 빙산, 역 고드름, 눈 덮인 툰드라 마을, 이글루의 창문에서 발견할 수 있습니다. 꽁꽁 언 얼음은 섬세한 손길 곡괭이로 채집하거나 얼음 9개로 직접 만들 수 있습니다. 광원이 근처에 있어도 녹지 않고 일반 얼음보다 조금 더 미끄럽습니다. 고체 블록인 꽁꽁 언 얼음 위에는 몹이 스폰될 수 있습니다.

함께 보기: 얼음, 푸른얼음

꽁꽁 언 얼음? 진짜 있을까?

마인크래프트에는 여러 종류의 얼음이 있습니다. 그런데 어떤 얼음은 다른 얼음보다 더 응축되었다는 것이 사실일까요? 어느 정도는 사실입니다. 실제 과학자들은 결정의 모습이 서로 다른 얼음을 약 18가지 발견했습니다. 이 얼음들은 물 분자가 서로 결합하여 결정을 이루는 방식이 각각 다른데, 온도와 압력 같은 요인에 의해서 구조가 바뀝니다. 얼음 종류는 로마 숫자로 번호가 매겨져 얼음 I, 얼음 II, 얼음 III 등으로 계속 숫자가 올라가며 분류됩니다. 하지만 지구에 있는 얼음의 대부분은 얼음 I 입니다.

비늘돔 Parrotfish

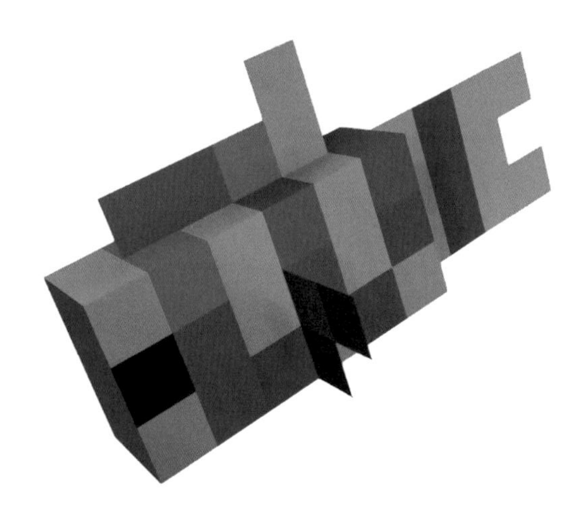

비늘돔은 실제 물고기 이름을 따온 마인크래프트 열대어 중 하나입니다. 마인크래프트 색상 및 무늬 구성표에서는 청-장미 날쌘돌이입니다. 실제로 비늘돔과의 물고기는 살다가 성별이나 몸 색깔이 바뀔 수 있는 것으로 유명합니다. 비늘돔 중에는 밝은 색 열대어로, 밤에 안전하게 잠을 잘 수 있도록 고치로 몸을 감싸는 종도 있습니다. 입모양이 앵무새 부리와 닮아서 앵무고기라고도 불립니다.

함께 보기: 노랑꼬리 비늘돔, 열대어

거북 도사의 물약 Potion of the Turtle Master

거북 도사의 물약은 버프(도움이 되는 효과)와 디버프(부정적인 효과)를 모두 제공하는 유일한 물약으로 감속과 저항을 동시에 줍니다. 저항 효과는 피해량을 레벨 당 20%씩 감소시키고 감속 효과는 걷는 속도를 레벨 당 15%씩 감소시킵니다.

거북 도사의 물약은 어색한 물약에 거북 등딱지를 넣어 만듭니다. 이렇게 만들어진 물약은 20초 동안 감속 IV와 저항 III의 효과를 줍니다.

거북 도사의 물약에 다시 레드스톤 가루를 넣으면 효과 지속 시간을 40초로 늘릴 수 있습니다. 혹은 처음 만든 물약에 발광석을 넣으면 감속 VI와 저항 IV로 효과를 높일 수 있습니다.

수중 물약 Potions, Aquatic

물속을 돌아다니거나 오래 머물도록 도와주는 두 가지 물약이 있습니다.

수중 호흡 물약: 수중 호흡 물약을 사용하면 물속에서 3분 동안 숨을 쉴 수 있고 물속이 조금 더 잘 보입니다. 어색한 물약에 복어를 넣어 만들면 됩니다. 물약의 효과를 8분으로 연장하고 싶다면 완성된 물약에 레드스톤 가루를 하나 넣어 다시 만들어 보세요.

야간 투시 물약: 야간 투시 물약은 어디서나 밝기 15 레벨을 제공합니다. 물약 종류마다 서로 다른 특수 재료(예: 화염 저항 물약에는 마그마 크림)가 필요합니다. 양조기는 한 번에 최대 3개의 물약을 만들 수 있고, 블레이즈 가루를 에너지로 씁니다. 먼저 네더 사마귀를 사용해 어색한 물약을 만들고 거기에 만들고자 하는 물약에 맞는 재료를 넣습니다.

물약 양조

물약을 제조하려면 양조기, 블레이즈 가루, 네더 사마귀, 물병, 그리고 특정 물약을 구성하는 특수 재료(예: 물약용 마그마 크림)가 필요합니다. 양조기는 한 번에 최대 3개의 물약을 만들 수 있으며, 블레이즈 가루를 연료로 사용합니다. 먼저 네더 사마귀를 사용해 어색한 물약을 만든 다음 어색한 물약에 원하는 효과 재료를 넣으면 해당 효과가 있는 물약을 만들 수 있습니다.

프리즈머린 Prismarine

프리즈머린은 해저 유적이나 해저 폐허에서 볼 수 있는 희귀한 블록입니다. 블록에는 실금처럼 보이는 무늬가 있는데 청색, 녹색, 보라색 등으로 변합니다.

프리즈머린은 전달체를 활성화시키는 데 사용되는 4가지 블록 중 하나입니다. 프리즈머린으로 프리즈머린 반 블록, 계단, 벽을 만들 수 있습니다. 또 4개의 프리즈머린 조각으로 프리즈머린 블록 한 개를 만들 수 있습니다.

함께 보기: 프리즈머린 벽돌, 어두운 프리즈머린, 프리즈머린 조각

쉬머락?

모장의 수석 개발자이자 크리에이티브 최고 책임자인 '젭' 옌스 베리엔스텐은 수중 블록 이름을 정하기 위해 트위터에 도움을 요청하는 글을 올렸습니다. 그 후 트위터를 통해 쉬머락 shimmerock, 셰일 shale, 시셰일 seashale, 쉬머셰일 shimmershale, 넵톤 neptone, 플로우스톤 flowstone 등의 이름이 거론되었습니다. 그 가운데 u/AjaxGb라는 유저가 제안한 프리즘과 바다(marine)의 합성어인 '프리즈머린'이 채택되었습니다.

프리즈머린 벽돌 Prismarine Brick

프리즈머린 벽돌은 프리즈머린이 변종된 장식 블록으로 해저 유적을 만드는 데 사용됩니다. 해저 유적 밖에서 자연적으로 발생되지 않지만 조각을 모아서 만들 수 있습니다. 프리즈머린 벽돌과 어두운 프리즈머린은 벽돌보다는 타일에 가까운 무늬를 가지고 있습니다. 물과 관련된 건축에 사용하기 알맞습니다.

함께 보기: 프리즈머린, 프리즈머린 조각

프리즈머린 수정 Prismarine Crystal

프리즈머린 수정은 가디언이나 엘더 가디언이 죽을 때 자주 드롭되는 아이템입니다. 섬세한 손길 곡괭이를 사용하지 않고 바다 랜턴을 부술 때도 드롭되며 종종 땅에 묻힌 보물에서 발견되기도 합니다. 프리즈머린 수정을 사용하면 바다 랜턴을 만들 수 있습니다.

프리즈머린 조각 Prismarine Shards

프리즈머린 조각은 가디언이나 엘더 가디언이 죽을 때만 드롭되는 아이템입니다. 조각이란, 유리나 바위처럼 단단한 물질이 부서질 때 생기는 날카로운 파편을 가리키는 단어입니다.

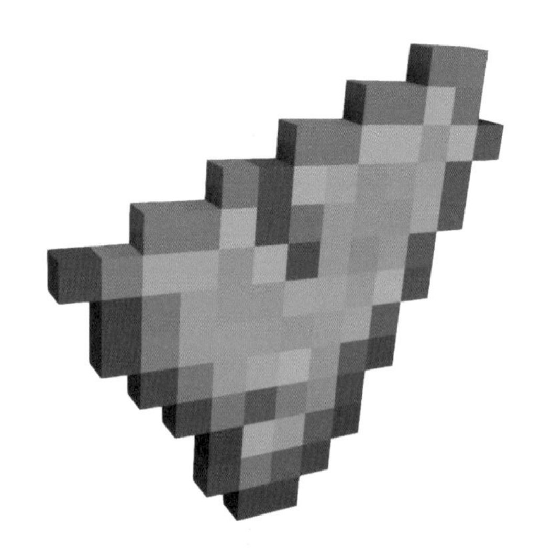

어쩌면 가디언들이 심심할 때 프리즈머린 블록을 씹어 먹는 것이 아닐까요! 프리즈머린 조각으로 프리즈머린 블록 세 가지와 바다 랜턴을 만들 수 있으며, 랜턴을 만들 때는 프리즈머린 수정도 필요합니다.

복어 Pufferfish

복어는 마인크래프트 4대 물고기 가운데 하나입니다. 보통 미지근한 바다, 깊고 미지근한 바다, 따뜻한 바다처럼 따뜻한 바다 생물 군계에서 발견됩니다. 복어는 다른 물고기와 달리 혼자서 헤엄치는 경우가 많습니다.

실제 복어는 팽창어라고 부르기도 합니다. 독성이 매우 강하고 몸을 부풀려 둥글게 만들기 때문에 잡아먹기 어려운 물고기입니다. 마인크래프트에 등장하는 복어도 실제 복어처럼 위험에 처하면 몸집이 두 배로 부풀고 독 효과를 줍니다. 플레이어나 몹이 복어에게 가까이 다가가면 독 피해를 입을 수 있습니다(갑옷 거치대 근처에만 있어도 부풀어 오릅니다.). 스켈레톤은 복어에게 피해를 입으면 반격합니다.

복어는 낚시로 잡을 수 있고 양동이를 사용하면 산 채로 잡을 수 있습니다. 가디언과 엘더 가디언이 죽을 때 복어를 드롭하기도 하며, 연어처럼 흐르는 물줄기를 거슬러 헤엄칠 수 있습니다.

복어는 먹을 수 있지만 유해한 상태 효과인 세 가지 디버프(허기 III, 멀미 II, 독 IV)를 입을 수 있습니다. 아픈 상태는 꼬박 1분 동안 지속되며, 피해가 배고픔이 회복되는 것보다 큽니다. 그러니 손에 복어를 들고 마우스 오른쪽 버튼을 클릭하지 않는 것이 좋습니다. 복어의 장점은 오실롯을 길들이고 고양이를 번식시키거나 물속에서 매우 편리한 수중 호흡 물약을 만드는 데 쓰인다는 것입니다.

복어가 부풀어 오르는 과정. 맨 위는 보통 때 모습이고, 맨 아래는 완전히 부푼 모습입니다.

복어 회에 대해서

동양에서는 가시복 같은 일부 복어를 특별한 요리로 생각해 회로 먹습니다. 복어 회는 세계에서 가장 위험한 음식 중 하나입니다. 복어 한 마리에서 나오는 독인 테트로도톡신은 30명을 죽일 수 있을 만큼 강력한 독입니다. 복어 요리사들은 간, 눈알, 껍질, 내장을 떼어 내고 독이 없는 살 부위만 발라낼 수 있도록 수년간 훈련을 받고 자격증을 땁니다. 이렇게 복어 조리 자격증이 있는 요리사만 복어를 손질할 수 있습니다.

Q–R

퀸 에인절피시, 여왕 신선돔 Queen Angelfish

퀸 에인절피시는 자바 에디션에서 퀸 에인절피시, 베드락 에디션에서는 여왕 신선돔으로 불리는 마인크래프트 열대어입니다. 마인크래프트 색상 및 무늬 구성표에서는 연두-하늘 소금치입니다. 퀸 에인절피시는 산호초 근처에 살며 해면과 산호를 잡아먹습니다. 실제 열대어인 퀸 에인절피시의 이름을 본떠 만들었습니다. 머리 부분에 왕관 모양의 고리 때문에 에인절피시라고 불리는 것입니다.

빨간 시클리드 Red Cichlid

빨간 시클리드는 마인크래프트 열대어 가운데 하나입니다. 마인크래프트 색상 및 무늬 구성표에서 빨강-흰 싸움고기입니다. 실제로 붉은 시클리드는 여러 종이 있는데, 어떤 종은 줄무늬가 있고 어떤 종은 없습니다. 드래곤 블러드 피콕 시클리드, 레드쥬얼 시클리드, 레드 지브라 아프리칸 음부나 시클리드 등이 모두 큰 시클리드과에 속합니다.

함께 보기: 시클리드, 열대어

빨간 입술 베도라치 Red-Lipped Blenny

빨간 입술 베도라치는 실제 물고기 이름을 딴 마인크래프트 22종의 열대어 가운데 하나입니다. 마인크래프트 색상 및 무늬 구성표에서 회색-빨강 서성이입니다. 실제 빨간 입술 베도라치는 말 얼굴 베도라치로 불리기도 합니다.

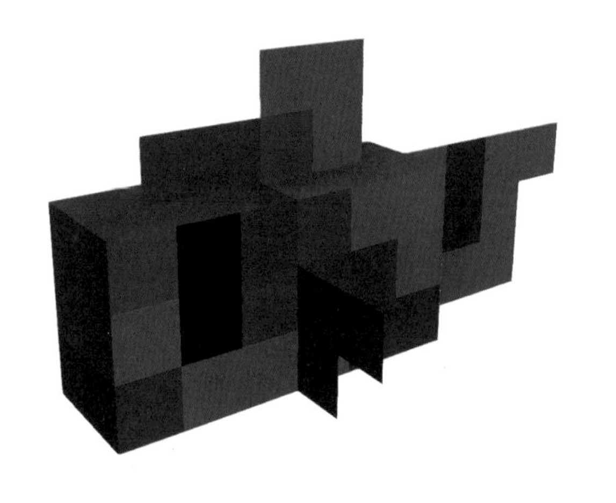

또한 청 베도라치에 속하는데, 청 베도라치는 뭉툭한 머리와 둥그런 꼬리지느러미를 가진 6개 베도라치과를 통틀어 부르는 이름입니다. 빨간 입술 베도라치는 이름처럼 붉은 입술을 가지고 있습니다.

함께 보기: 열대어

빨간 통돔 Red Snapper

마인크래프트 열대어 가운데 하나인 빨간 통돔은 매우 친숙한 물고기입니다. 실제로 멕시코만 산호초에 사는 물고기인데 세계 여러 나라에서 즐겨 먹는 물고기 중 하나입니다. 마인크래프트 색상 및 무늬 구성표에서는 빨강-흰 사각고기입니다.

함께 보기: 황적통돔, 열대어

자원 체크리스트
Resource Cheat Sheet

마인크래프트에서 빙고 게임이나 수중 생존 챌린지를 하고 싶다면, 블록과 아이템을 포함한 모든 바다 자원을 정리한 체크리스트가 있으니 활용해 보세요. 체크리스트에는 바다 자원을 찾을 수 있는 위치까지 포함되어 있습니다. 단, 이 목록에는 일반적인 해저 블록(점토, 흙, 모래, 조약돌), 동굴에서 발견되는 광물자원 그리고 물은 포함되어 있지 않습니다. 또 자원을 확률적으로 생성하는 곳은 글자 *기울임꼴*로 표시했으니 참고하세요.

수중 자원 체크리스트

자원	위치	
대나무	*난파선 보급품 상자*	
자작나무 통나무 (껍질 벗긴 나무, 판자, 울타리, 계단, 다락문, 문)	*난파선*	
책	*난파선 지도 상자*	
책과 깃펜	*땅에 묻힌 보물(BE)*	
경험치 병	*땅에 묻힌 보물(BE), 난파선 보물 상자*	
벽돌	*해저 폐허*	
땅에 묻힌 보물 지도	난파선 지도 상자, *해저 폐허 상자*	
케이크	*땅에 묻힌 보물(BE)*	
당근	*난파선 보급품 상자*	
사슬 갑옷	*땅에 묻힌 보물(BE)*	
상자	땅에 묻힌 보물, 난파선, *해저 폐허*	
시계	*난파선 지도 상자*	

석탄	*난파선 보급품 상자*	
조약돌(일반 및 이끼)	*해저 폐허*	
대구	미지근한 바다, 바다, 차가운 바다 생물 군계(몹), 대구, 돌고래, 가디언, 엘더 가디언, 북극곰 드롭(날것), *땅에 묻힌 보물*(요리)	
나침반	*난파선 지도 상자*	
산호, 산호 블록, 부채형 산호	따뜻한 바다 생물 군계의 산호초	
짙은 참나무(통나무, 껍질 벗긴, 판자, 울타리, 계단, 다락문, 문)	*난파선*	
짙은 참나무 판자	*해저 폐허*	
어두운 프리즈머린	해저 유적	
다이아몬드	*땅에 묻힌 보물, 난파선 보물 상자*	
돌고래	얼어붙은 바다를 제외한 모든 바다 생물 군계	
에메랄드	*땅에 묻힌 보물, 난파선 보물 상자*	
깃털	*난파선 지도 상자*	
낚싯대	*해저 폐허 상자*	

금	*땅에 묻힌 보물, 해저 유적, 난파선 보물 상자*	
윤나는 화강암	*해저 폐허*	
화약	*난파선 보급품 상자*	
바다의 심장	땅에 묻힌 보물	
얼음(일반, 푸른, 꽁꽁 언)	얼어붙은 바다 생물 군계, 빙산	
먹물 주머니(검은색 염료)	*오징어가 드롭*	
철	*땅에 묻힌 보물, 난파선 보물 상자*	
철검	*땅에 묻힌 보물*	
정글 나무(껍질 벗긴 나무, 판자, 울타리, 계단, 다락문, 문)	*난파선*	
켈프	미지근한 바다, 바다, 차가운 바다 생물 군계	
청금석	*난파선 보물 상자*	
납	*땅에 묻힌 보물(BE)*	
가죽 갑옷	*땅에 묻힌 보물, 난파선 보급품 상자*	
하늘색 테라코타	*해저 폐허*	

마그마 블록	깊은 수중 협곡의 바닥, *해저 폐허*	
빈 지도	*난파선 지도 상자*	
음반	*땅에 묻힌 보물 (BE)*	
이름표	*땅에 묻힌 보물 (BE)*	
앵무조개 껍데기	*드라운드가 드롭*	
참나무(통나무, 껍질 벗긴, 판자, 울타리, 계단, 다락문, 문)	*난파선*	
흑요석	깊은 수중 협곡의 해저에 있는 마그마 블록 근처, *해저 폐허*	
종이	*난파선 보급품 상자, 난파선 지도 상자*	
감자(일반 및 독)	*난파선 보급품 상자*	
재생의 물약	*땅에 묻힌 보물 (BE)*	
수중 호흡의 물약	*땅에 묻힌 보물 (BE)*	
프리즈머린	해저 유적, *해저 폐허*	
프리즈머린 벽돌	해저 유적	

프리즈머린 수정	*땅에 묻힌 보물, 가디언, 엘더 가디언이 드롭,* 바다 랜턴	
프리즈머린 조각	*가디언, 엘더 가디언이 드롭*	
복어	미지근한 바다 생물 군계	
호박	*난파선 보급품 상자*	
보라색 유광 테라코타	*해저 폐허*	
썩은 살점	*드라운드가 드롭, 난파선 보급품 상자*	
연어	차가운 바다와 얼어붙은 바다 생물 군계(몹), *땅에 묻힌 보물(요리)*	
사암(깎인, 조각된, 일반, 계단)	*해저 폐허*	
인갑	아기 거북이 성체로 자랄 때 드롭	
해초	얼어붙은 바다를 제외한 모든 바다 생물 군계	
바다 랜턴	*해저 폐허*	
불우렁쉥이	미지근한 바다와 따뜻한 바다 생물 군계	
눈	얼어붙은 바다 생물 군계, 빙산	

스펀지	*해저 유적, 엘더 가디언이 드롭*	
가문비나무(통나무, 껍질 벗긴, 판자, 울타리, 계단, 다락문, 문)	*난파선*	
가문비나무 판자	*해저 폐허*	
석제 벽돌(일반, 조각된, 금 간, 이끼 낀, 계단)	*해저 폐허*	
수상한 스튜	*난파선 보급품 상자*	
TNT	*땅에 묻힌 보물, 난파선 보급품 상자*	
삼지창	*드라운드가 드롭*	
열대어	따뜻한 바다 생물 군계	
거북	해변	
거북 알	거북이 해초에 낳음	
거북 등딱지	인갑으로 제작	
밀	*난파선 보급품 상자*	

급류 Riptide

급류는 삼지창에만 부여되는 마법 중 하나입니다. 삼지창을 던지면 플레이어가 삼지창을 던진 방향으로 따라갈 수 있어서 이동 수단처럼 사용하기도 합니다. 하늘로 던지면 하늘로 갈 수 있는데 이때 회전도 가능합니다. 급류 마법을 사용하려면 어떤 형태로든 물과 접촉해야 합니다. 비가 오거나, 물에 서 있거나, 물속에 있어야 합니다. 물과 접촉한 상태에서 급류 마법이 부여된 삼지창을 던지면 돌격 회전 효과와 함께 이동할 수 있습니다.

급류 효과를 갖고 있을 때 몹이나 다른 플레이어와 부딪히면 원거리 공격 피해를 주게 됩니다. 또 급류 레벨이 늘어날수록 더 멀리 날아갈 수 있습니다(레벨 III까지). 충절이나 집전이 부여된 삼지창은 급류 마법을 쓸 수 없습니다. 하지만 찌르기가 있는 삼지창에는 추가로 급류 마법을 부여할 수 있습니다.

함께 보기: 삼지창, 충절, 집전, 찌르기

강 River

강 생물 군계는 서로 다른 두 개의 생물 군계의 경계에 있는 좁고 긴 생물 군계입니다. 강은 지표면에 물길이 만들어지면 물 근원 블록으로 채워집니다. 강바닥은 조약돌, 모래, 점토로 구성되어 있고 보통 y=56 높이 정도에 놓여 있습니다. 수위는 y=63으로 해수면과 같습니다. 강 자체 너비는 최대 약 15블록 정도이며 여기에는 강둑도 들어갑니다. 강 생물 군계 동식물상에는 해초, 사탕수수, 오징어, 연어가 있습니다.

S

연어 Salmon

연어는 마인크래프트 주요 물고기 중 하나입니다. 차가운 바다, 얼어붙은 바다 생물 군계와 강, 얼어붙은 강 생물 군계에서 스폰됩니다. 연어는 다른 연어들과 무리를 지어 헤엄치는 경우가 많습니다. 연어는 낚시로 잡을 수 있고 양동이를 사용하면 산 채로 잡을 수도 있습니다. 또 살아 있는 연어는 가디언이나 북극곰을 죽였을 때 드롭되기도 합니다. 익힌 연어는 땅에 묻힌 보물 상자에 있습니다. 다른 물고기처럼 연어를 이용해 오실롯을 길들이고, 고양이를 유인해 번식시킬 수도 있습니다.
베드락 에디션에서는 연어를 크기에 따라 소형, 중형, 대형으로 나눕니다. 돌고래에게도 연어를 먹이로 주기도 하는데, 먹이를 먹은 돌고래는 난파선이나 해저 폐허의 전리품 상자로 안내해 줍니다.

함께 보기: 물고기

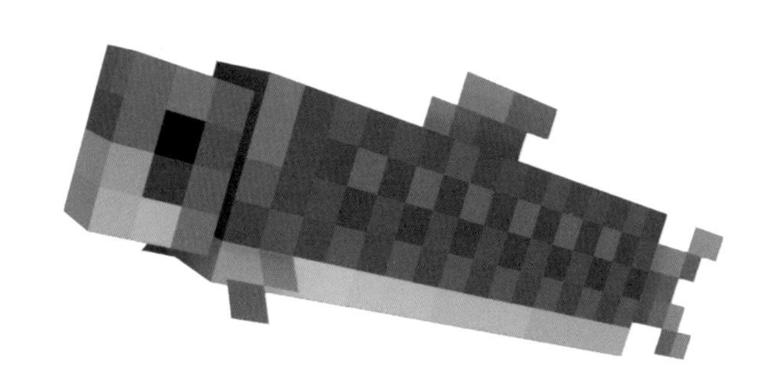

모래 Sand

모래는 해변과 해안선 그리고 해저를 구성하는 주요 블록 중 하나입니다. 모래는 중력의 영향을 받는 블록입니다. 모래는 바로 아래에 아무 블록도 없다면 밑으로 떨어집니다. 횃불 같은 비고체 블록에 떨어지면 부서지는 특성이 있습니다. 모래는 콘크리트 가루, 사암, TNT를 만드는 데 사용되고 제련하면 유리를 만들 수 있습니다. 모래 위에서는 선인장이나 사탕수수가 자라납니다.

인갑 Scute

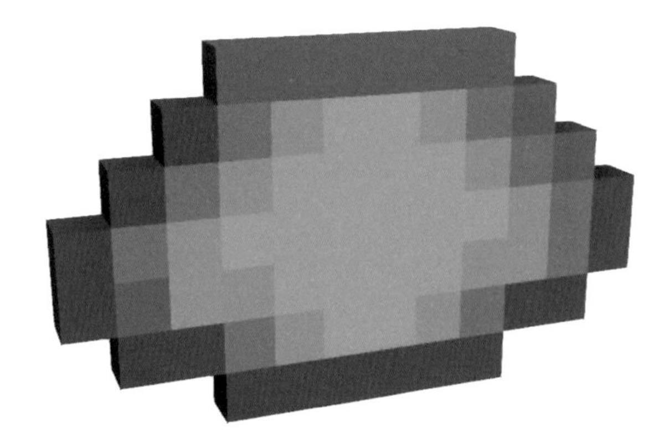

인갑은 거북 껍데기 뼈판입니다. 아기 거북이 어른 거북으로 자라면서 인갑 하나를 내놓습니다. 밝은 녹색이며, 투구의 한 종류인 거북 등딱지를 만들 수 있습니다. 어색한 물약에 인갑을 더하면 거북 도사의 물약도 만들 수 있습니다.

함께 보기: 거북 등딱지, 거북 도사의 물약

환상적인 빛

마인크래프트에는 밝기 0부터 15까지 16단계의 조명 레벨이 있습니다. 블록은 조명 레벨에 따라 밝기 레벨이 정해집니다. 예를 들어 햇빛은 블록에 밝기 15레벨을 줍니다. 각각 광원마다 정해진 레벨의 빛을 냅니다. 마그마 블록은 밝기 3, 불우렁쉥이는 밝기 6, 횃불은 밝기 14, 발광석과 바다 랜턴은 밝기 15입니다. 태양을 제외하면 광원에서 나오는 빛은 1블록 떨어질 때마다 1레벨씩 줄어듭니다. 즉, 바다 랜턴 바로 옆에 있는 돌 블록은 밝기 14레벨이고 바다 랜턴으로부터 5블록 떨어진 블록은 밝기 10레벨을 받게 됩니다.

바다 랜턴 Sea Lantern

바다 랜턴은 마인크래프트 발광 블록 중 가장 밝은, 밝기 15레벨의 블록입니다. 해저 유적과 해저 폐허에서만 자연적으로 생성됩니다. 바다 랜턴은 전달체를 활성화하는 데 사용할 수 있는 몇 안 되는 블록이기도 합니다.

바다 랜턴을 수확하려면 섬세한 손길 곡괭이로 부숴야 합니다. 다른 도구를 사용하면 프리즈머린 수정 몇 개를 떨구지만 바다 랜턴 블록 하나를 만들기에는 부족합니다.

바다 랜턴 블록을 제작하려면 프리즈머린 조각 4개와 프리즈머린 수정 5개가 필요합니다.

불우렁쉥이 Sea Pickle

실제 불우렁쉥이는 동물이지만 마인크래프트에서는 식물과 비슷합니다. 똑바로 세운 녹색 오이와 비슷하고 미지근한 바다나 따뜻한 바다 해저와 산호 블록 위에서 발견됩니다. 불우렁쉥이는 한 블록에 최대 4개까지 놓을 수 있습니다.

불우렁쉥이에 뼛가루를 사용하면 불우렁쉥이를 한 블록에서 최대 4개까지 키울 수 있고 가까이에 있는 살아 있는 산호 블록으로 불우렁쉥이가 퍼질 수도 있습니다. 불우렁쉥이 하나는 밝기가 6레벨입니다. 불우렁쉥이 둘은 밝기 9, 셋은 밝기 12, 넷은 밝기 15레벨입니다. 실제 불우렁쉥이는 작은 관 모양의 개충(군체를 이루는 동물의 한 구성원)들이 무리를 이루며 모여 있고, 보통은 바닷속에서 유유히 떠다닙니다. 실제로도 빛을 내며 물속에서 옅은 녹색을 띤 푸른빛을 발산합니다.

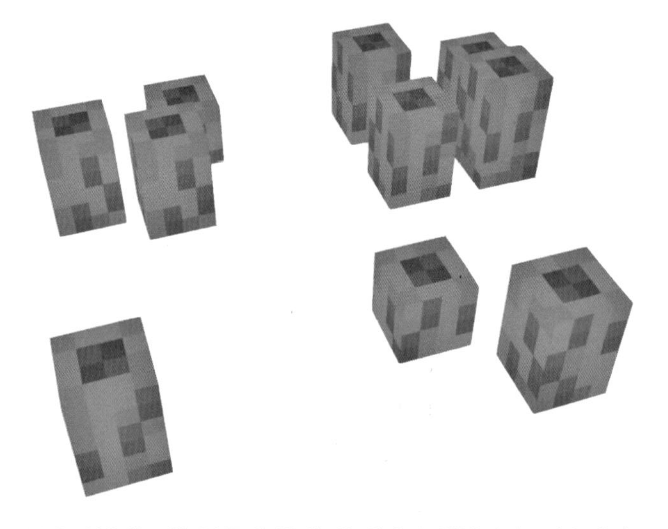

불우렁쉥이는 한 블록에 최대 네 개까지 생성될 수 있습니다. 불우렁쉥이가 많을수록 더 밝아집니다.

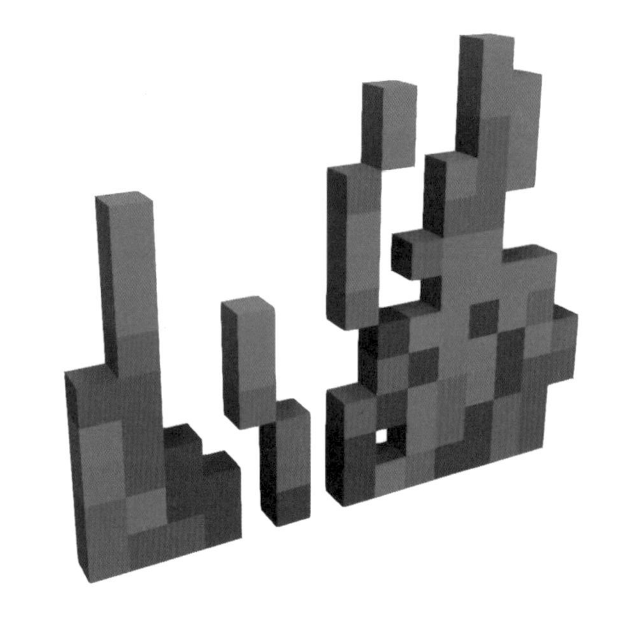

해초 Seagrass

해초는 얼어붙은 바다를 뺀 모든 바다 생물 군계에서 자라는 수생 식물입니다. 강, 늪, 물에 잠긴 동굴에서도 볼 수 있습니다. 켈프처럼 동작이 더해진 식물 블록이기도 합니다. 해초는 높이 1블록과 높이 2블록 두 가지 크기가 있습니다. 뼛가루를 이용해서 물속에 있는 모든 고체 블록 위에서 키울 수 있지만 채집은 가위로만 할 수 있습니다. 뼛가루는 해초를 1블록 더 자라게 합니다. 거북을 유인해 번식시킬 수 있으며, 거북을 죽이면 종종 해초가 드롭됩니다.

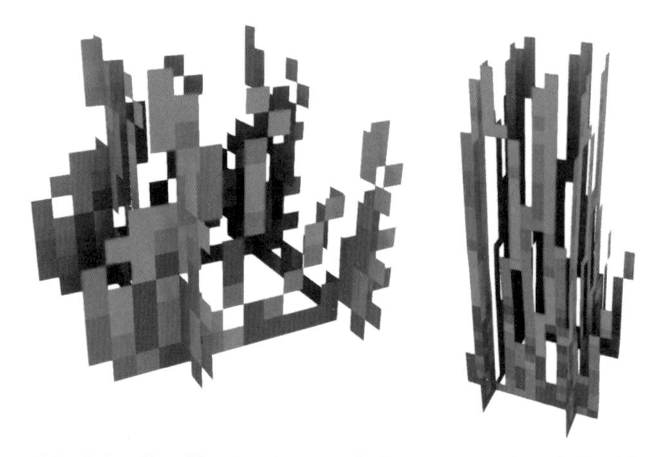

해초의 높이는 한 개 또는 두 개의 블록으로 이루어져 있습니다.

난파선 Shipwrecks

아주 오래전 마인크래프트에 분명 해적이 살지 않았을까요? 만약 해적이 존재했다면 이 해적들은 채식만 하며, 돛이 3개 달린 배를 타고 형편없는 항해 실력을 갖고 있었을 겁니다. 보물을 땅에 묻은 채 많은 보물을 주민에게 남기고, 모든 배를 난파시킨 것을 보면 짐작할 수 있지요. 해적들이 우리에게 남긴 것은 전리품 상자, 지도, 난파선입니다. 난파선 상자에 남아 있는 물건을 살펴보면 해적들의 생활과 관심사에 대한 단서를 찾을 수 있습니다. 아마도 선장의 키는 주민이나 플레이어보다 작았을 것입니다. 선장실로 들어가는 통로의 높이가 매우 낮기 때문이지요. 난파선을 탐색할 때 출입구 상단에 있는 반 블록을 제거하기 위해 도끼를 가지고 다니고 싶어질 정도입니다.

사실 마인크래프트의 난파선은 배가 아니라 지형으로 만들어진 구조물입니다. 보통 바다에 잠겨 있지만 가끔 해안선, 강물 속, 강변에서도 찾을 수 있습니다. 배는 완전히 나무로 만들어졌고 보통 선수, 선미, 돛대 같은 일부 구조가 통째로 없습니다. 난파선은 옆으로 누워 있거나 뒤집어진 채로 가라앉아 있기도 합니다. 난파선은 주로 나무 블록으로 만들어져 있으며, 두 가지 종류의 나무가 쓰였지만 아카시아나무와 통나무는 쓰이지 않았습니다.

난파선에서 가장 중요한 것은 배 안에 있는 1~3개의 상자입니다. 주갑판 뒤쪽에 있는 선장 선실에 상자가 있는데, 전리품이나 보물이 들어 있습니다. 갑판 아래, 방향타 뒷방에서도 상자를 찾을 수 있습니다. 그리고 배의 앞머리에 있는 선수루에는 보급품 상자가 있습니다. 하지만 모든 난파선에 상자 세 개가 다 있는 것은 아닙니다. 정해진 위치에 상자가 없으면 그 난파선에는 상자가 없는 것입니다. 상자 안에 든 물건은 랜덤으로 생성됩니다.

보물 상자: 경험치 병, 다이아몬드, 에메랄드, 금괴 및 황금 조각, 청금석, 철괴 및 철 조각

지도 상자: 책, 땅에 묻힌 보물 지도, 시계, 나침반, 빈 지도, 깃털, 종이

보급품 상자: 대나무, 당근, 석탄, 화약, 가죽 갑옷, 썩은 살점, 종이, 감자, 호박, 수상한 스튜, TNT, 밀

눈 Snow

눈 블록은 얼어붙은 바다에 있는 빙산 일부를 이룹니다.
자연적으로 만들어지는 블록이며, 다른 눈 덮인 생물 군계에서도 만들어집니다. 눈은 쉽게 부서져 없어지는 블록이지만 삽을 사용하여 부수면 눈덩이 4개를 얻을 수 있습니다. 섬세한 손길 곡괭이를 사용하면 눈 블록 자체를 얻을 수 있습니다.

눈 블록은 이글루를 만들 때 사용할 수 있으며, 또 눈 블록 두 개와 조각된 호박(Carved pumpkin)으로 눈 골렘을 만들 수도 있습니다.

눈 덮인 해변 Snowy Beach

눈 덮인 해변 생물 군계는 보기 드물지만 눈 덮인 육지와 바다가 만나는 곳마다 있습니다.
해변은 대부분 모래로 이루어져 있지만, 눈으로 덮여 있으며 가장자리의 바닷물은 얼음으로 변합니다. 너무 추워서 거북은 스폰되지 않습니다.
다른 해안선과 마찬가지로 해적들의 침몰된 배가 있고 보물도 묻혀 있습니다.

눈 덮인 생물 군계

눈 덮인 생물 군계는 높이에 상관없이 늘 눈이 내리는 지역으로 눈 덮인 타이가, 눈 덮인 타이가 산, 눈 덮인 툰드라 등으로 이루어져 있습니다. 이 가운데 눈 덮인 타이가는 타이가 생물 군계의 표준으로 가문비나무, 눈, 늑대의 땅입니다. 눈 덮인 타이가는 눈 덮인 타이가 산으로 변하기도 하는데 매우 희귀합니다. 눈 덮인 툰드라 생물 군계는 드문드문 나무가 있는 평평한 눈밭입니다. 이곳에는 눈 덮인 산과 역 고드름이 있습니다. 역 고드름은 희귀한 생물 군계로 꽁꽁 언 얼음으로 된 커다란 고드름이 땅에서 삐죽삐죽 솟아 있습니다.

스펀지 Sponge

스펀지는 마인크래프트에서 가장 희귀한 블록 가운데 하나입니다. 만들 수도 없고 해저 유적 스펀지 방(그것도 생성된 경우에만)에서 엘더 가디언이 떨구는 것을 얻을 수 있습니다. 엘더 가디언은 리스폰되지 않으며, 유적마다 3마리만 있기 때문에 한 세계 안에 있는 총 스펀지 수는 발견된 해저 유적 수에 따라 정해집니다. 해저 유적 스펀지 방에는 보통 약 30개의 스펀지가 있습니다.

스펀지는 젖을 수도 마를 수도 있습니다. 젖은 스펀지는 화로에서 말릴 수 있고 마른 스펀지를 물에 넣으면 가까운 물 근원 블록 수십 개를 흡수해 젖은 스펀지가 됩니다. 젖은 뒤에는 다시 말려야 합니다.

실제 바닷속에는 스펀지처럼 생긴 해면이란 생물이 있습니다. 태곳적부터 있던 수생 동물 계열입니다. 바위 표면 같은 곳에 붙어서 살아가고 몸에 있는 구멍을 통해 흐르는 물에서 먹이와 산소를 얻습니다. 스펀지가 부드러운 이유는 해면질 때문입니다. 어떤 스펀지는 상업적으로 양식되어 '천연 해면'이라고 불리며 욕실 스펀지로 판매됩니다. 스펀지를 이루는 부드러운 해면질은 실제 스펀지의 기본 원료가 됩니다.

오징어 Squid

오징어는 마인크래프트 첫 수중 몹이라는 영예를 가지고 있습니다. 물고기가 있긴 했지만 수중 업데이트 이전에는 아이템으로만 있었기 때문에 사실상 오징어가 첫 수중 몹이 되는 셈입니다. 마인크래프트의 오징어는 8개의 긴 다리를 가지고 있으며, 2블록 길이 정도 되는 수동적인 몹입니다.
오징어는 헤엄칠 때 다리가 벌어졌다 오므라들었다 합니다. 실제 오징어가 추진력으로 움직이는 모습처럼 말이지요. 오징어가 물속을 돌아다니는 것을 보면 밑 부분에 붉게 열린 입이 있고, 그 주위를 이빨이 둘러싸고 있는 것을 볼 수 있습니다.

오징어는 y=46에서 해수면(y=63) 사이 물이 있는 곳에 스폰됩니다. 공격하면 도망가는데 아래에 있는 입에서 검은 먹물을 뿜어냅니다. 오징어를 죽이면 먹물 주머니가 드롭됩니다. 해저 유적에서는 가디언의 레이저 광선에 끊임없이 희생됩니다.

오징어에서 우유를 얻었다고?

오징어가 자바 에디션 베타 1.2 버전에 처음 나왔을 때는, 마우스 오른쪽 버튼을 클릭하면 젖소에서 우유를 짜듯이 오징어에서 우유 양동이를 얻을 수 있었습니다. 하지만 이 재미있는 아이템은 1.4 버전에서 사라졌습니다.

돌 해안 Stone Shore

돌 해안 생물 군계는 해변 생물 군계 변종입니다. 산 또는 숲이 바다를 만날 때만 생깁니다. 해안선은 돌로 이루어져 있고 드문드문 조약돌이 박혀 있습니다. 바다 쪽으로 가파르게 경사져 있습니다.

늪 Swamp

늪 생물 군계는 평평한 땅에 얕은 물로 덮여 있는 저지대입니다. 물은 탁한 녹색이며 깊이가 겨우 한 블록 높이인 경우가 많습니다. 하지만 어떤 늪 지역은 해수면보다 낮아서 더 깊은 웅덩이가 생기기도 합니다.

늪 바닥은 보통 흙으로 되어 있고 점토가 점점이 있습니다. 늪 물속에는 해초가 자라고 위에는 수련 잎이 떠 있습니다. 독특한 종류의 참나무가 물과 땅 양쪽에서 자랍니다.

늪에서 자라는 참나무는 일반 참나무보다 넓게 퍼지며 잎에서 덩굴이 자라 땅까지 내려옵니다. 이 참나무는 지형 생성으로만 만들어져서 참나무 묘목으로는 키울 수 없습니다. 특징적인 다른 동식물상으로는 파란색 난초, 사탕수수, 버섯, 화석, 슬라임이 있습니다. 늪 생물 군계에는 마녀 오두막도 생기는데 이때 마녀도 함께 생깁니다. 늪의 변종인 늪 언덕은 평평한 늪 사이로 높이 솟아 있는데, 이곳에서는 마녀 오두막과 슬라임은 생성되지 않습니다.

수영 Swimming

수영은 걷기와 매우 비슷합니다. 앞으로 키(W)를 누르면 플레이어가 보고 있는 방향으로 이동합니다. 이때 달리기 수영도 가능한데 달리기 키(Ctrl)를 누르거나 앞으로 키를 두 번 누르면 됩니다. 다만 배고픔이 6 이하일 때는 달리기 수영을 할 수 없고, 달리기 수영을 하면 배고픔 바가 더 빨리 줄어듭니다. 더 빠른 속도로 수영하고 싶다면 은신(Shift) 키를 누르세요. 수영할 때는 플레이어의 높이가 바뀌어서 한 블록 높이의 공간에 들어갈 수 있느니 비밀 수중 기지를 만들 때 참고하면 좋습니다.

T

날가지숭어 Threadfin

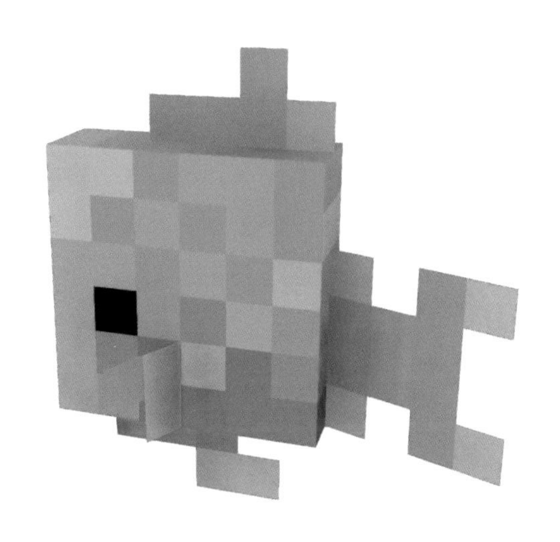

날가지숭어는 마인크래프트 열대어 가운데 하나입니다. 마인크래프트 색상 및 무늬 구성표에서는 흰-노랑 퍼덕이입니다. 실제로 여러 종의 날가지숭어가 있으며, 날가지숭어 가운데 가장 큰 것은 길이가 1.8미터가 넘습니다. 가슴지느러미에서 길고 가는 실이 뻗어 있어 독특한 생김새로도 유명합니다.

함께 보기: 열대어

토마토 흰동가리 Tomato Clownfish

토마토 흰동가리는 실제 열대어 이름을 딴 마인크래프트 물고기입니다. 마인크래프트 색상 및 무늬 구성표에서 빨강-흰 보구치(베드락 에디션에서는 빨강-흰 볕금고기)입니다. 말미잘과 공생 관계에 있는 흰동가리과에 속합니다. 토마토 흰동가리의 몸 색깔은 주홍색인데, 눈 옆에 있는 검은 윤곽선 안에 흰색으로 채워진 독특한 줄이 있습니다.

함께 보기: 말미잘 물고기, 흰동가리, 열대어

(위) 베드락 에디션 토마토 흰동가리 / (아래) 자바 에디션 토마토 흰동가리

삼지창 Trident

삼지창은 길쭉한 대의 끝이 세 개로 갈라진 창입니다. 마인크래프트 전투에서 사용되며, 드라운드를 없애면 가끔 삼지창을 떨구는데 이 방법 외에는 삼지창을 구할 방법이 없습니다. 삼지창을 들고 있는 드라운드가 삼지창을 드롭할 가능성이 높지만 삼지창을 들고 스폰되는 드라운드는 전체 드라운드의 5분의 1뿐입니다.
삼지창을 든 드라운드를 조심해야 합니다. 삼지창에 마법이 없어도 계속해서 던질 수 있으며, 드라운드가 던진 삼지창을 집어서 사용할 수는 없습니다. 또한 삼지창은 화살과 달리 물속에서도 속력이 줄어들지 않습니다. 손에 삼지창을 들고 있는 드라운드를 해치워야 삼지창을 떨군다는 사실을 잊지 마세요.

운 좋게 삼지창을 얻었다면 근접 공격과 원거리 공격 모두에 사용할 수 있습니다. 마법을 부여해서 멋지게 다룰 수도 있습니다. 삼지창으로 근접 공격을 하면 보통은 9HP, 치명타일 때 13HP의 피해를 줍니다. 검과 마찬가지로 점프하면서 때리면 치명타가 됩니다. 원거리 공격에서는 8HP의 피해를 입힙니다. 원거리 공격을 할 때는 잠시 동안 삼지창을 잡고 충전해야 합니다. 삼지창은 목표물에 명중시킨 뒤에도 다시 가져와 계속해서 사용할 수 있습니다.

운이 나쁘게 삼지창 공격을 받는다면 방패로 공격을 막으세요. 삼지창은 수선, 내구성, 찌르기, 충절, 급류, 집전 효과를 부여할 수 있고 수리와 마법 부여 방법은 다른 도구나 무기와 같습니다.

함께 보기: 집전, 찌르기, 충절, 급류

찌르기 1~5레벨: 수중 몹에게 추가 피해(2.5 HP)를 줍니다. 언데드 드라운드는 예외입니다.

충절 1~3레벨: 삼지창을 던지면 다시 돌아옵니다. 레벨이 높을수록 더 빨리 돌아옵니다.

급류 1~3레벨: 물속에 서 있거나 비를 맞는 상황에서 삼지창을 던지면, 삼지창을 따라 날아갈 수 있습니다.

쥐치복 Triggerfish

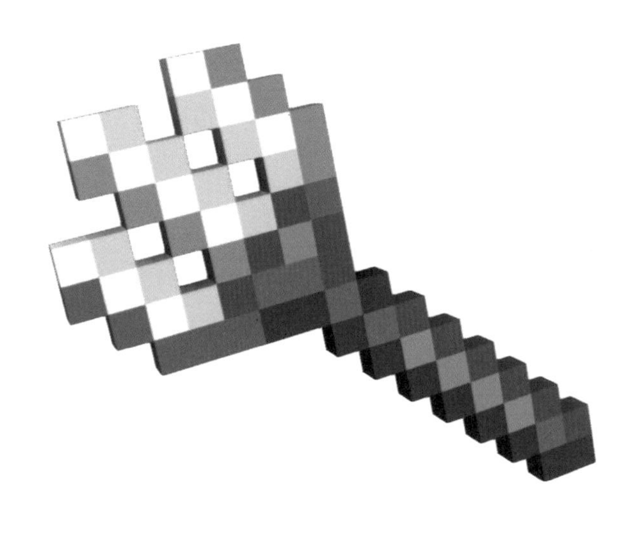

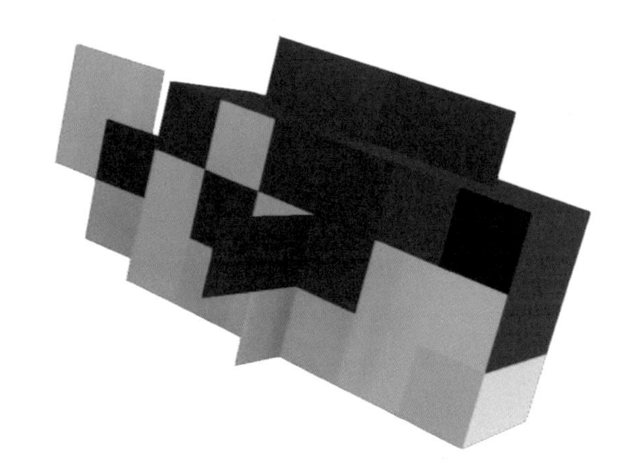

근접 상황

육상 전투에서 원거리 공격은 석궁이나 창과 같이 먼 거리에서 발사하는 발사체를 무기로 쓰는 것을 말합니다. 근접 공격은 맞붙은 거리에서 도끼나 검 같은 무기를 사용하는 백병전입니다. 실제로 근접 전투는 앞서 말한 것과 같이 무기를 사용하는 백병전일수도 있고, 그냥 요란한 싸움일 수도 있습니다.

쥐치복은 실제 물고기 이름을 딴 마인크래프트 열대어 가운데 하나입니다. 마인크래프트 색상 및 무늬 구성표에서 회색-흰색 볕금고기입니다. 실제 쥐치복은 산호초에서 발견되는 열대어에 속합니다. 대체로 색깔이 화려하고 타원형의 강한 턱과 이빨이 있어 껍데기가 있는 동물도 잘 먹습니다. 텃세가 매우 세고 공격적입니다.

함께 보기: 열대어

열대어 Tropical Fish

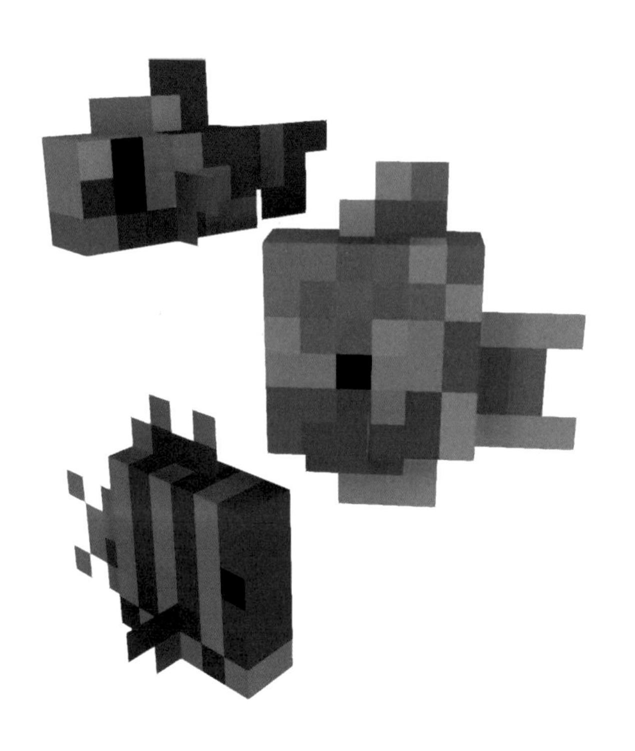

열대어는 마인크래프트 주요 물고기 가운데 하나입니다. 따뜻한 바다 생물 군계에서만 발견되며 작은 종류끼리 무리 지어 다닙니다. 마인크래프트에서는 12가지 열대어 모델이 있습니다. 모델마다 15가지 색상 가운데 1~2가지 색상을 사용하는 무늬가 적용되므로, 나올 수 있는 열대어 종류는 수천 가지(정확히는 3,584가지)입니다. 하지만 스폰되는 열대어의 약 90%는 이름이 붙은 22가지 물고기 가운데 하나이며, 특정 색상과 디자인을 가지고 있습니다.

열대어의 색상은 표준 마인크래프트 색상에 있는 파란색, 갈색, 회색, 초록색, 연두색, 자홍색, 주황색, 자두색(보라색), 빨간색, 장미색(분홍색), 은색(회백색), 하늘색(밝은 파란색), 녹청색(청록색), 노란색, 흰색을 사용합니다.

이름이 붙은 22종 열대어는 말미잘 물고기, 긴코 양쥐돔, 남양쥐돔(블루 도리), 나비고기, 시클리드, 흰동가리, 솜사탕 베타, 도티백, 황적퉁돔, 촉수, 깃대돔, 오네이트 나비고기, 비늘돔, 퀸 에인절피시, 빨간 시클리드, 빨간 입술 베도라치, 빨간 퉁돔, 날가지숭어, 토마토 흰동가리, 쥐치복, 노랑꼬리 비늘돔, 노랑양쥐돔입니다.

함께 보기: 이름 붙은 물고기들의 각 항목, 물고기

12가지 열대어 모델은 흰색 바탕에 회색 줄무늬를 가지고 있습니다.

싸움고기

사각고기

소금치

점토고기

날쌘돌이

퍼덕이

반짝이

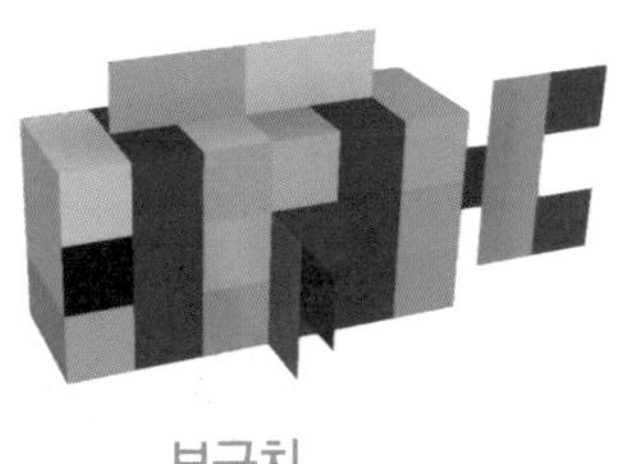

보구치

서성이

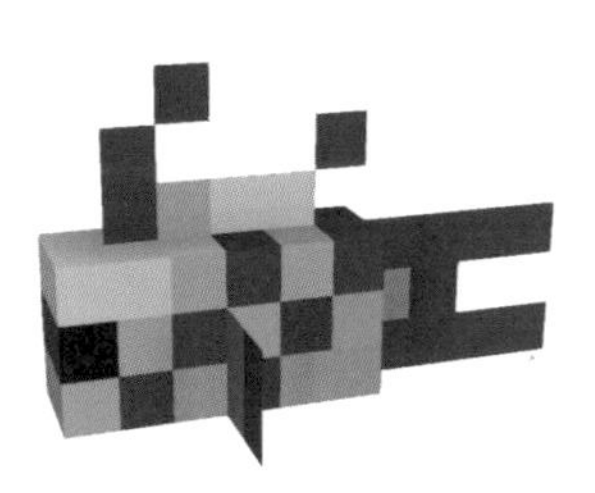

점박이

줄무늬

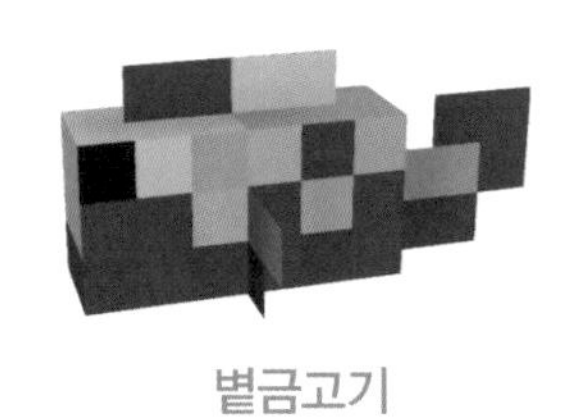

별금고기

거북 Turtle

거북은 수동적인 몹입니다. 세계가 만들어질 때 밝기 7 이상인 해변에만 스폰됩니다.

실제 거북은 가장 오래된 파충류 중 하나이지만 현재는 많은 거북이 멸종 위기에 처해 있습니다. 마인크래프트 거북 몹도 마찬가지입니다. 모든 종류의 좀비와 스켈레톤이 아기 거북을 찾아내 죽이고 오실롯과 늑대도 아기 거북을 죽입니다.

알을 품은 거북(오른쪽)은 일반 거북보다 배가 더 통통합니다.

거북은 물에서 수영을 하고 육지에서도 종종 돌아다닙니다. 거북도 돌고래처럼 보통의 수동적인 몹보다는 조금 복잡한 행동을 합니다. 거북은 자신이 스폰된 해변을 고향으로 기억하고 알을 낳기 위해 고향으로 돌아갑니다. 거북 두 마리를 교배하면 한 마리는 통통해져 고향 해변으로 돌아갑니다. 해변으로 올라온 거북은 모래를 파낸 뒤 거북 알 1~4개를 모래 블록에 둡니다.

거북은 물에서 헤엄치고 육지에서 기어 다닙니다. HP가 30으로 대부분의 수동적인 몹보다 훨씬 건강합니다. 수동적인 몹은 대부분 HP가 10 이하이나 말은 최대 HP 30에 도달할 수 있습니다.

때때로 어른 거북과 함께 아기 거북이 스폰되기도 합니다. 거북이 좋아하는 해초 같은 먹이를 사용하면 아기 거북을 빠르게 성체로 만들 수 있습니다. 아기 거북이 어른 거북이 될 때 인갑 하나를 떨굽니다. 소를 밀로 유인하는 것처럼, 거북이 좋아하는 먹이를 사용해서 유인할 수 있습니다.

적대적인 몹이 자그마한 아기 거북을 공격합니다.

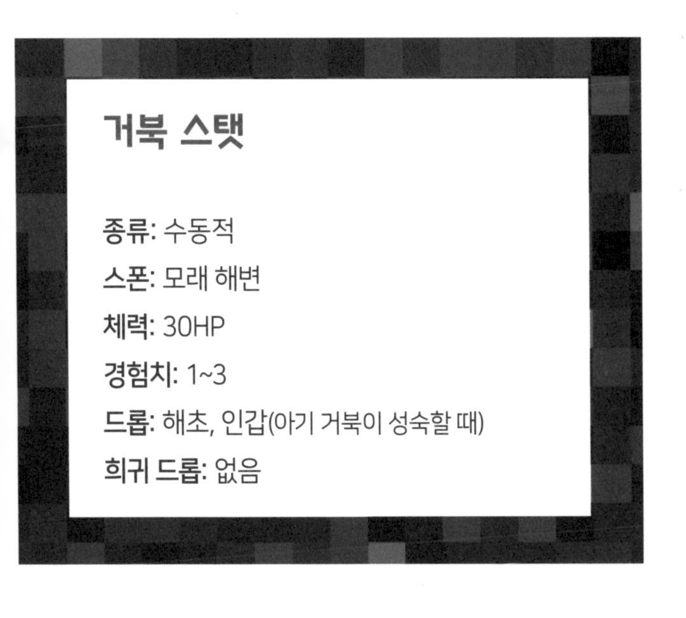

거북 스탯

종류: 수동적

스폰: 모래 해변

체력: 30HP

경험치: 1~3

드롭: 해초, 인갑(아기 거북이 성숙할 때)

희귀 드롭: 없음

거북 알 Turtle Eggs

거북 알은 교배한 거북이 모래 블록에 배치하는 것으로 스폰됩니다. 한 블록 위에 최대 4개의 거북 알을 배치합니다. 알은 두 번 변하는데 부화가 가까워질수록 알의 반점이 어두워지고 수도 늘어납니다. 거북 알 자체는 밟으면 부서질 위험이 있습니다. 알은 근처에 있는 좀비나 드라운드 같은 좀비 변종들을 유인할 수 있는데, 좀비는 거북 알이 부서질 때까지 짓밟습니다. 알은 밤에만 부화하고 알마다 작은 거북 한 마리가 부화합니다. 섬세한 손길 곡괭이로 부수면 알을 얻을 수 있습니다.

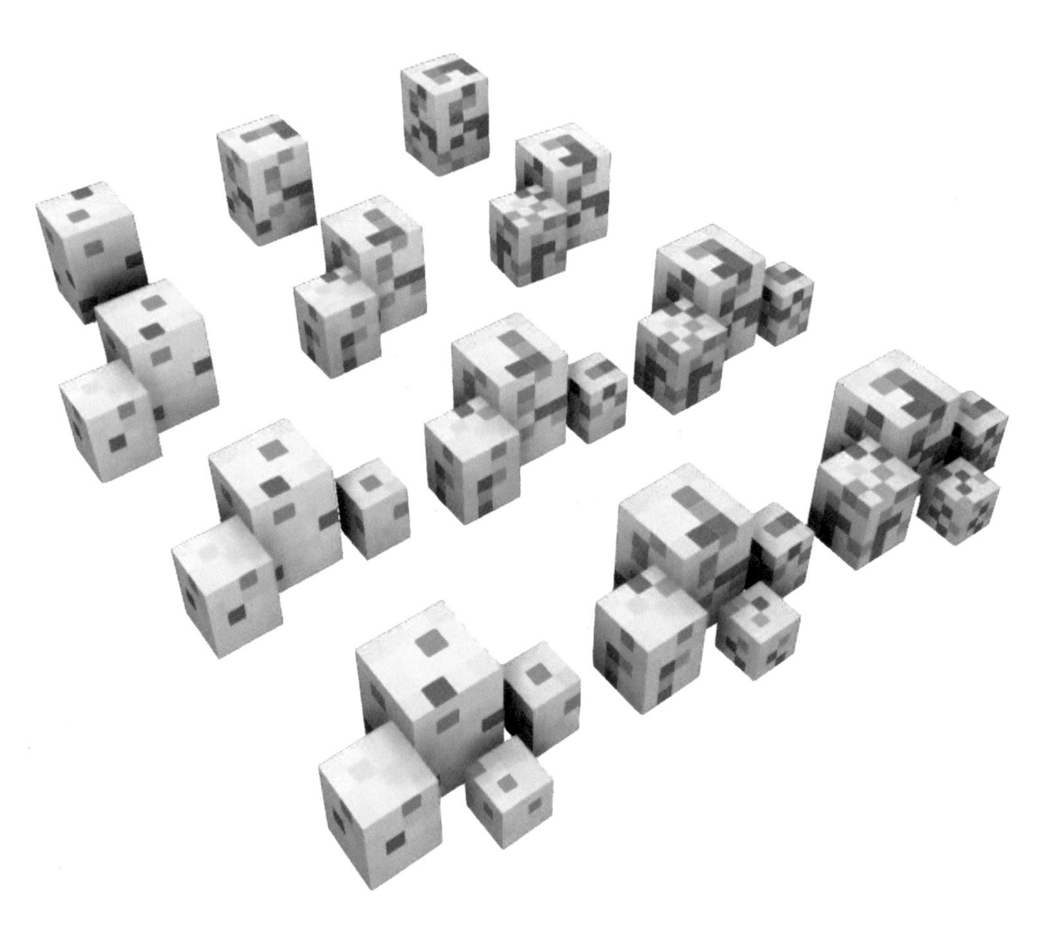

거북 알은 한 번에 1~4개가 배치됩니다. 각각 알 부화의 3단계를 보여 주고 있습니다. 거북은 최대 4개의 알을 낳습니다.

거북 등딱지 Turtle Shell

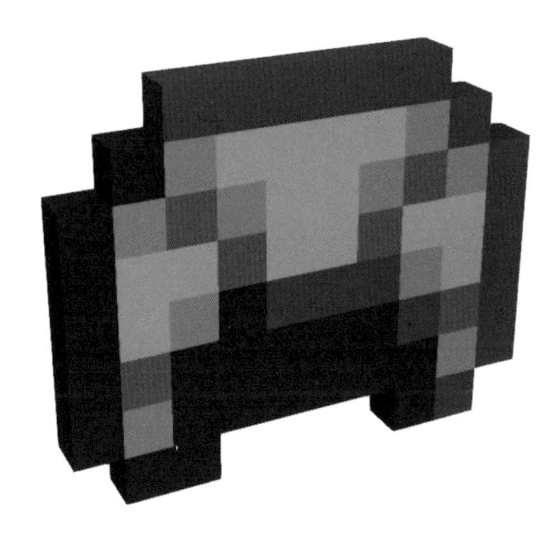

마인크래프트의 거북 등딱지는 인갑으로 만든 투구입니다. 인갑은 아기 거북이 성체가 될 때 드롭하는 뼈판입니다. 인갑 5개로 거북 등딱지 1개를 제작할 수 있습니다. 거북 등딱지는 물에 들어갔을 때 10초 동안 수중 호흡 효과를 줍니다. 그리고 다른 갑옷 마법을 부여할 수 있습니다. 거북 등딱지는 철보다 내구성이 높고 피해에 대한 방어점을 2점 제공합니다. 거북 등딱지는 거북 도사의 물약을 만드는 데도 사용합니다.

U–V

수중 건축 기법
Underwater Building Techniques

수중에서는 다양한 기법으로 건축할 수 있습니다. 수중 건축에서 가장 어려운 점은 호흡과 블록을 빠르게 부수고 물을 제거하여 공기 공간을 만드는 것입니다.

문부터 건축

수중 건설을 시작할 때 문을 먼저 배치하면 매우 쉽게 시작할 수 있습니다. 문이 있는 공간에서 숨을 쉴 수 있기 때문입니다. 고체 블록을 벽과 지붕으로 배치한 다음 모래나 스펀지를 사용해 물 근원 블록을 흡수하면 됩니다.

터널부터 건축

해안선에서 파 내려가면서 해저 위나 밑에 터널을 건축하며 기지를 세울 곳까지 가는 방법입니다. 터널 출구에서 지붕을 연장해 짓고, 지붕 아래의 물 블록을 모래로 제거하며 공기 주머니를 만듭니다.

모래 거푸집 전략을 쓰려면 흙 발판 위에 모래를 사용하여 건물 안에 공기를 채울 공간만큼 거푸집을 만듭니다. 거푸집 아래 바닥이 평평한지 꼭 확인하세요.

발굴 현장

건축하려는 지역에 모래(또는 조약돌)를 떨어뜨리면 바다 전체를 쓸어 낼 수 있습니다. 해저에서 수면까지 바다 덩어리 전체를 블록으로 대체하는 것입니다. 낮은 건물일수록 시간이 더 오래 걸립니다. 하지만 이렇게 하면 여러분이 만든 모래 덩어리 내부를 파내고 새로 생긴 빈 공간에 건물을 건설하면 됩니다. 작업이 끝나면 건물 밖의 옆면과 위에 있는 공기 블록을 물 블록으로 교체해야 합니다. 이때 건물 위에 물을 많이 놓아야 할수록 작업은 더 지루해집니다.

모래 거푸집

수중 건물을 짓고 싶은 공간 바로 위의 블록에 건물 틀을 만들 수 있습니다. 모래 거푸집은 해수면 아래 지형에 따라 모양이 바뀌므로, 평평한 지역에 건축하는 것이 좋습니다.

흙 발판을 부숴 모래 거푸집이 바닥에 떨어지게 합니다.

아래로 떨어진 모래 거푸집은 위에 있을 때와 완전히 같은 모양입니다.

모래 거푸집 주위에 벽과 천장을 만드세요.

마지막으로 거푸집 내부의 모든 모래를 제거하면, 숨 쉴 수 있는 공기 블록이 남게 됩니다.

거푸집 기초는 부수기 쉬운 블록을 사용합니다. 거푸집을 완성한 뒤 기초 블록을 부수면 모래가 밑으로 떨어져 해수면 위에 만들었던 거푸집 모양과 같은 모양이 해저에 생깁니다. 그런 다음 물속 거푸집 주위에 건축 블록을 배치하여 벽과 천장을 만들면 됩니다. 이때 거푸집 안으로 들어갈 공간은 남겨 두고 건축하고 안으로 들어가서 모래를 제거합니다.

물 위에 건축하기
Building on Water

해안에서 멀리 떨어진 곳에 건축을 할 경우 수련 잎을

이용합니다. 수련 잎은 물 위에 놓을 수 있는 몇 안 되는 블록 중 하나입니다. 블록 배치 시작점으로 쓸 수 있습니다. 수련 잎 대신에 키가 큰 켈프 위에 블록을 놓아도 됩니다.

함께 보기: 수중 생존

수중 건물 종류 Underwater Building Types

어느 바다에서나 볼 수 있는 해저 폐허는 물속에 어떤 건물을 지을 수 있는지에 대한 힌트가 됩니다. 폐허는 작은 집, 사원, 작은 공동체의 잔해처럼 보입니다. 집 말고도 수십 가지 수중 구조물이 있습니다. 수족관, 돌고래 서식지와 리조트, 도시, 인어 서식지, 유적, 해양 연구 기지, 레스토랑, 호텔, 스파, 협곡 절벽의 주택, 협곡 주거지, 자원 농장 및 공장, 비밀 기지(군사, UFO, 저항군, 슈퍼 히어로), 잠수함, 침몰한 배, 생존 거주지, 사원 및 종교 건물, 거북 구출 및 연구 센터 같은 것들 말이죠.

수중 동굴 Underwater Caves

수중 동굴은 해수면 아래에서 발견되는 동굴로 공기 대신 물이 차 있습니다. 수영해서 탐험해야 하고 탐험을 위해서는 수중 호흡 보조 도구가 필요합니다. 수중 동굴 중에는 넓은 바다에 바로 입구가 붙어 있고, 어떤 동굴은 수중 협곡 오르내림으로 생긴 것도 있습니다. 또 해저에 생겨 물로 채워진 동굴도 있습니다. 수중 동굴 바닥이 y=11 깊이까지 도달할 만큼 낮으면, 깊은 수중 협곡과 마찬가지로 마그마 블록과 흑요석을 발견할 수도 있습니다.

수중 협곡 Underwater Ravines

수중 협곡은 일반 바다나 깊은 바다 생물 군계에서 생성됩니다. 육지 협곡과 마찬가지로 깊이는 30블록 이상, 길이는 100블록 이상일 수 있습니다. 다만 육지와 달리 물로 채워져 있습니다. 수중 협곡의 좁은 바닥 부분은 흑요석과 마그마로 되어 있기도 합니다. 마치 이곳의 바닷물이 지각에서 흘러나온 용암을 만난 것처럼 말입니다. 마그마 블록은 수면까지 도달하는 거품 기둥을 생성하고 그 안에 몹이 갇히면 끌어내립니다. 거품 기둥의 근원인 마그마 블록까지 내려간 몹은 피해를 입거나 죽을 수도 있습니다.

해저 폐허 Underwater Ruins

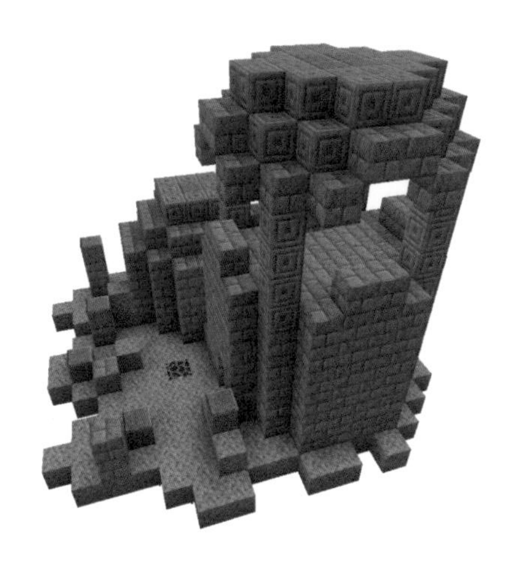

해저 폐허는 해저에서 생성되는 작은 구조물입니다. 해저가 얕다면 폐허 일부가 해수면 위로 튀어나올 수도 있습니다. 또 어떤 폐허는 해변에 만들어지기도 합니다. 해저 폐허는 작은 집이나 사원의 잔해처럼 보입니다. 따뜻한 바다 생물 군계에 있는 폐허는 사암과 사암 변종으로 되어 있고 차가운 바다(일반 바다에서 얼어붙은 바다까지)에 있는 폐허는 석제 벽돌과 그 변종으로 되어 있습니다. 폐허에서는 프리즈머린, 조약돌, 모래, 윤나는 화강암, 벽돌, 판자를 찾을 수 있고, 드물게는 윤나는 섬록암, 보라색 유광 테라코타 또는 하늘색 테라코타도 있습니다.

해저가 모래인 곳은 해저 폐허도 사암으로 구성됩니다.

모든 해저 폐허가 물속에 있는 것은 아닙니다. 어떤 것은 해변 위나 해변 가까이에서도 발견됩니다.

폐허에는 바다 랜턴, 마그마 블록, 전리품 상자들이 있습니다. 전리품 상자는 대부분 모래 블록 아래 묻혀 있으니, 폐허에서 상자를 찾고 싶다면 물속에서 사각형 형태와 빛을 찾아야 합니다. 폐허는 드라운드가 스폰되는 장소이니 늘 주의해야 하며, 보물찾기를 하고 싶다면 동료가 필요할 수 있습니다.

해저 폐허에서 얻을 수 있는 아이템은 땅에 묻힌 보물 지도, 석탄, 에메랄드, 마법이 부여된 책, 마법이 부여된 낚싯대, 황금 조각, 황금 투구, 황금 사과, 가죽 갑옷, 썩은 살점, 돌도끼, 밀이 있습니다.

수중 생존 Underwater Survival

물속에서 살아남으려면 지상 생존에 필요한 조건에 산소와 정상적인 채굴 속도가 추가로 더 필요합니다.

식료품: 켈프를 말리고 물고기를 잡는 것부터 시작하세요. 용광로와 석탄이 있으면 익힌 대구와 연어가 부족하지 않게 계속 만들 수 있습니다.

은신처: 물에 잠기지 않은 해저 동굴을 찾거나 난파선에서 물을 제거하거나 아니면 처음부터 은신처를 건축해야 합니다.

잠자리: 수중 동굴에서 거미나 광산 갱도를 찾아야 합니다. 거미와 광산 갱도를 이용해 침대를 제작할 양털을 만들 수 있는 실을 얻을 수 있습니다.

갑옷, 무기, 도구: 전리품 상자에서 갑옷과 무기를 찾으려면 먼저 채굴부터 해야 합니다. 그리고 채굴하는 동안 물이 차지 않도록 조심해야 합니다.

산소: 최종 산소 확보 수단은 활성화된 전달체를 쭉 이어 놓는 것입니다. 그전까지지는 문을 배치해서 비상시에 호흡할 수 있게 합니다.

채굴 속도: 친수성이 부여된 투구를 얻거나 전달체를 활성화할 수 있을 때까지 채굴 속도는 절반이 됩니다.

함께 보기: 물속에서의 호흡, 자원 체크리스트, 수중 건축 기법, 물의 세계 만들기 프로젝트

물의 세계 만들기 프로젝트 Project: Make a Water World

물의 세계는 육지가 없고 오직 바다만 있는 곳입니다. 땅이 없으면 생활 자원을 얻기 어려우므로, 가장 먼저 생활할 수면 위 영역을 건축하고 식료품과 은신처를 확보해야 합니다. 난파선이나 켈프 같은 구조물 위에 건물을 지으면 수면과 가깝게 건물을 지을 수 있습니다. 또 보트와 도구를 만들기 위해서는 난파선에서 나무를 찾아야 합니다. 식료품은 살아 있는 물고기부터 시작해야 합니다. 배고픔 레벨이 줄어드는 것을 원치 않으면 수영을 자제하고 배에 앉아 있으면 됩니다.

물의 세계에서 살아남기! 진정한 도전을 할 준비가 되었나요? 그렇다면 다음 옵션 가운데 하나를 선택하세요. 프로젝트 마인크래프트 같은 공유 사이트에서 미리 만들어진 지도를 다운로드하거나 마인크래프트 안에서 직접 물의 세계를 만드는 방법도 있습니다.

내장된 사전 설정 세계 사용

사전 설정 세계는 평평한 블록 레이어의 수와 오버월드를 구성하는 블록을 여러분이 지정할 수 있는 완전한 평지 세계 유형입니다. 디폴트 완전한 평지 세계에는 레이어가 네 개밖에 없습니다. 맨 아래 기반암 레이어, 두 개의 흙 레이어, 맨 위의 잔디 레이어입니다. 사전 설정(미리 정의된 조합)을 그냥 사용해도 되고, 여러분이 재구성해서 서로 다른 종류의 블록으로 된 더 많은 레이어를 만들 수도 있습니다. 예를 들어 다이아몬드 블록으로만 이루어진 완전한 평지 세계를 만들 수도 있습니다.

1. 마인크래프트를 시작합니다. 시작 화면에서 싱글플레이를 선택하세요.

2. 세계 선택 화면에서 새로운 세계 만들기를 클릭합니다.

3. 새로운 세계 만들기 화면에서 세계 이름을 입력하고 고급 세계 설정을 클릭합니다.

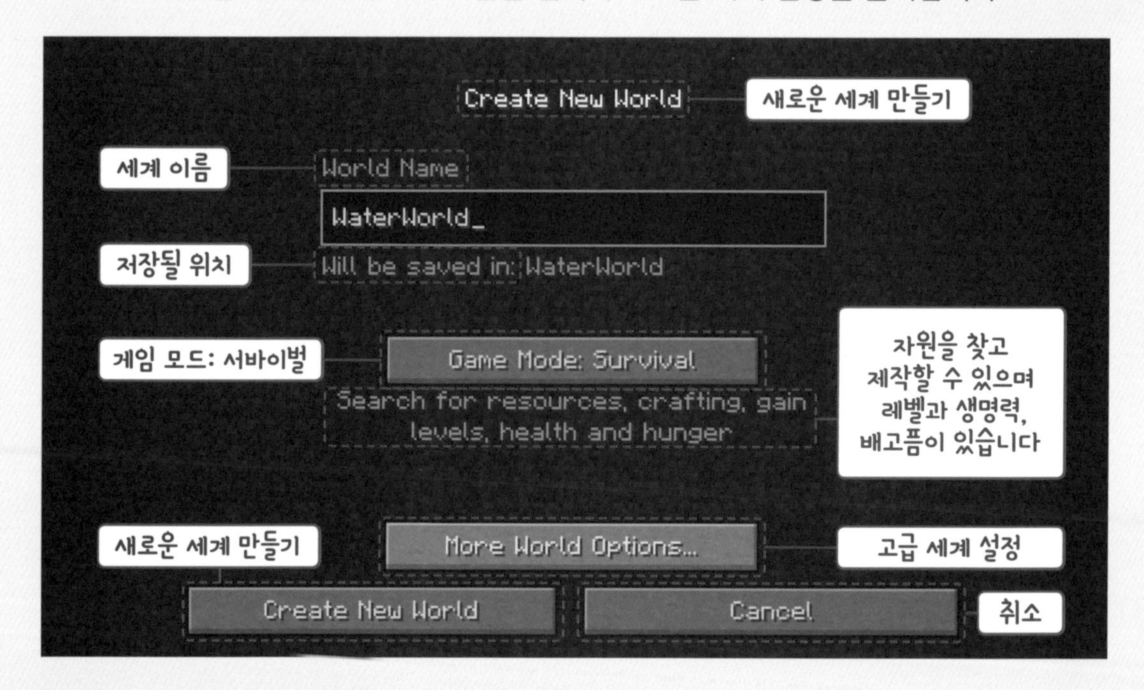

4. 새로운 세계 만들기: 고급 세계 설정 화면에서 세계 유형 버튼을 클릭하여 완전한 평지로 변경합니다.

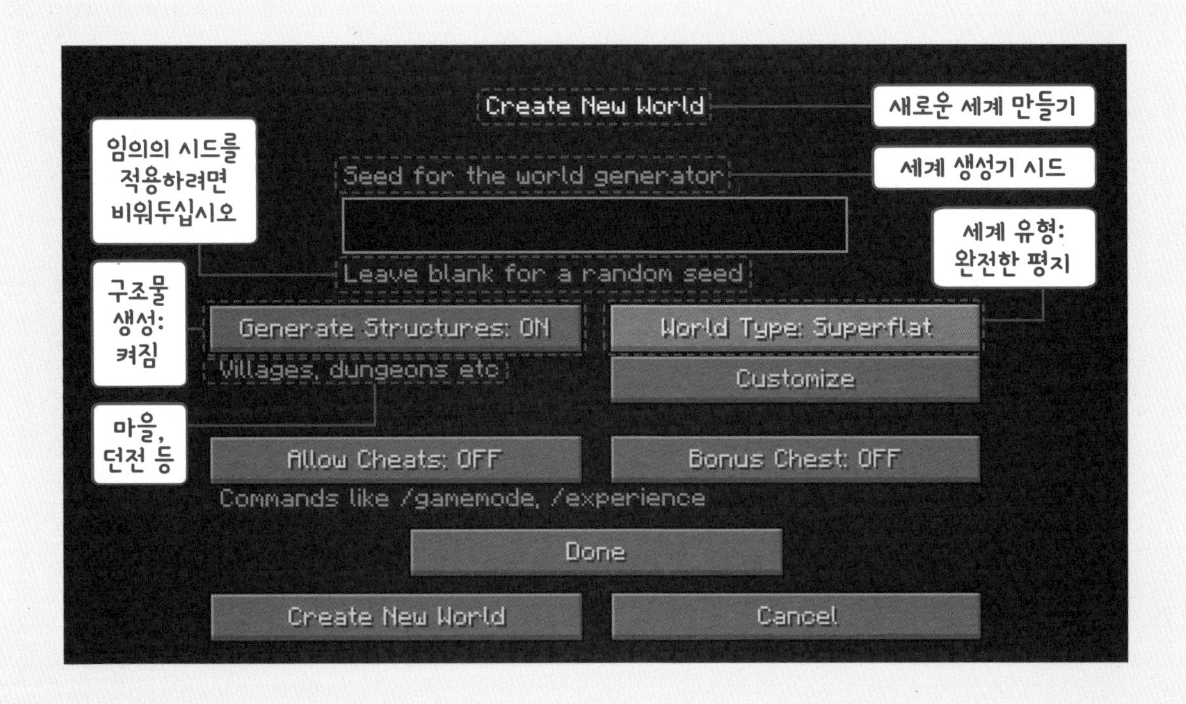

5. 세계 유형: 완전한 평지 버튼 아래에 있는 사용자 지정 버튼을 클릭합니다.

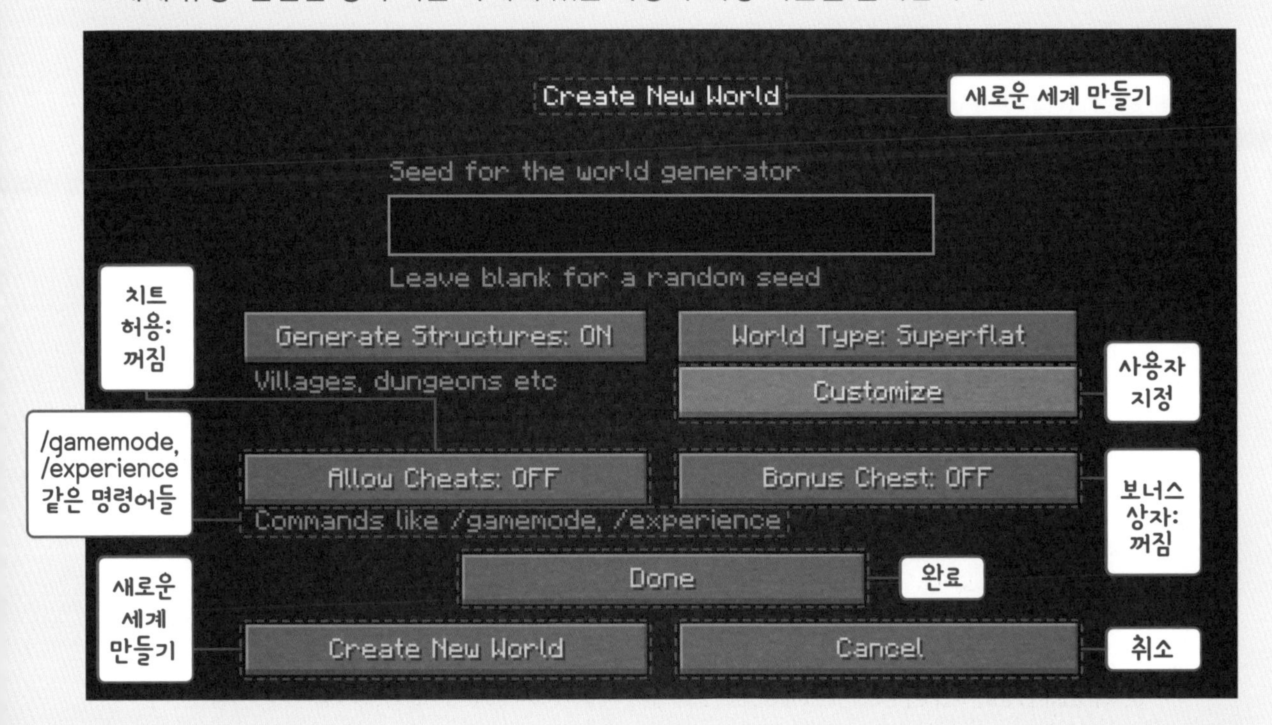

6. 완전한 평지 사용자 지정 화면에서 사전 설정 버튼을 클릭합니다.

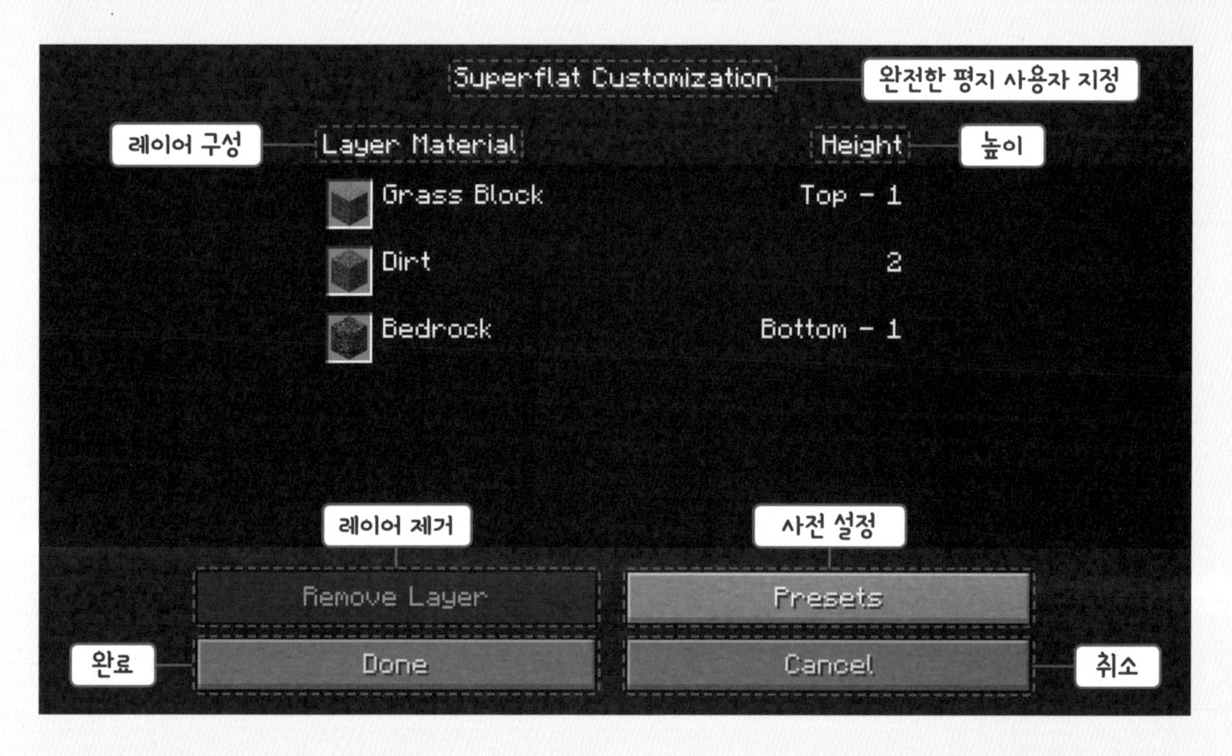

7. 사전 설정 화면에는 사전 구성된 여러 가지 완전한 평지 옵션이 나옵니다. 여기서 물의 세계를 선택하고 사전 설정 사용 버튼을 클릭합니다.

8. 다시 완전한 평지 사용자 지정 화면으로 돌아가면 그 세계에 생성될 레이어를 볼 수 있습니다. 모래, 흙, 돌 레이어 위에 물 레이어가 90개 있고, 맨 밑에는 기반암 레이어가 하나 있습니다.

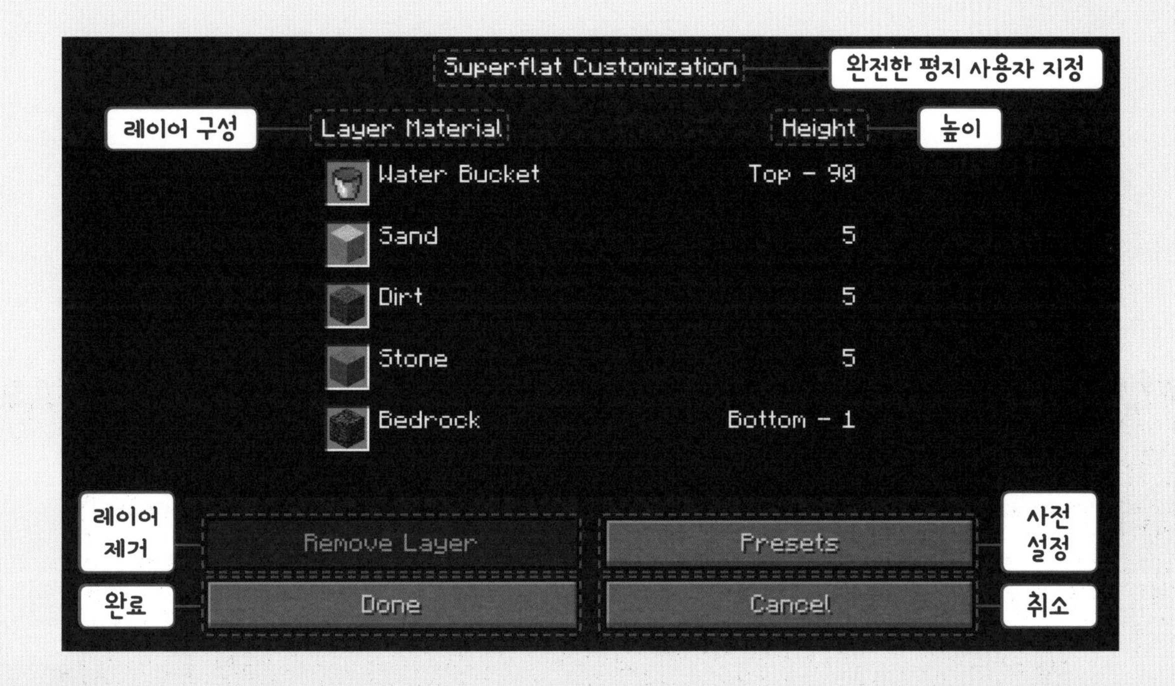

9. 물이 90개의 레이어로 이루어져 있어서 자칫 생존이 불가능한 것처럼 보이지만, 적당히 조절하면 됩니다. 사전 설정 버튼을 다시 클릭하고 화면 상단의 텍스트 상자를 확인합니다. 이 텍스트 상자는 세계의 레이어를 지정하는 코드를 보여 줍니다. 코드는 아래와 같이 쓰여 있습니다.

   minecraft:bedrock,5*minecraft:stone,5*minecraft:dirt,5*minecraft:sand,90*minecraft:water;minecraft:deep_ocean;oceanmonument,biome_1
   이 코드는 변경할 수 있지만, 실수로 공백이나 새 문자를 추가하지 않도록 각별히 주의해야 합니다.[3] 왼쪽 및 오른쪽 화살표 키를 사용해 텍스트 상자 안에서 커서를 이동합니다.

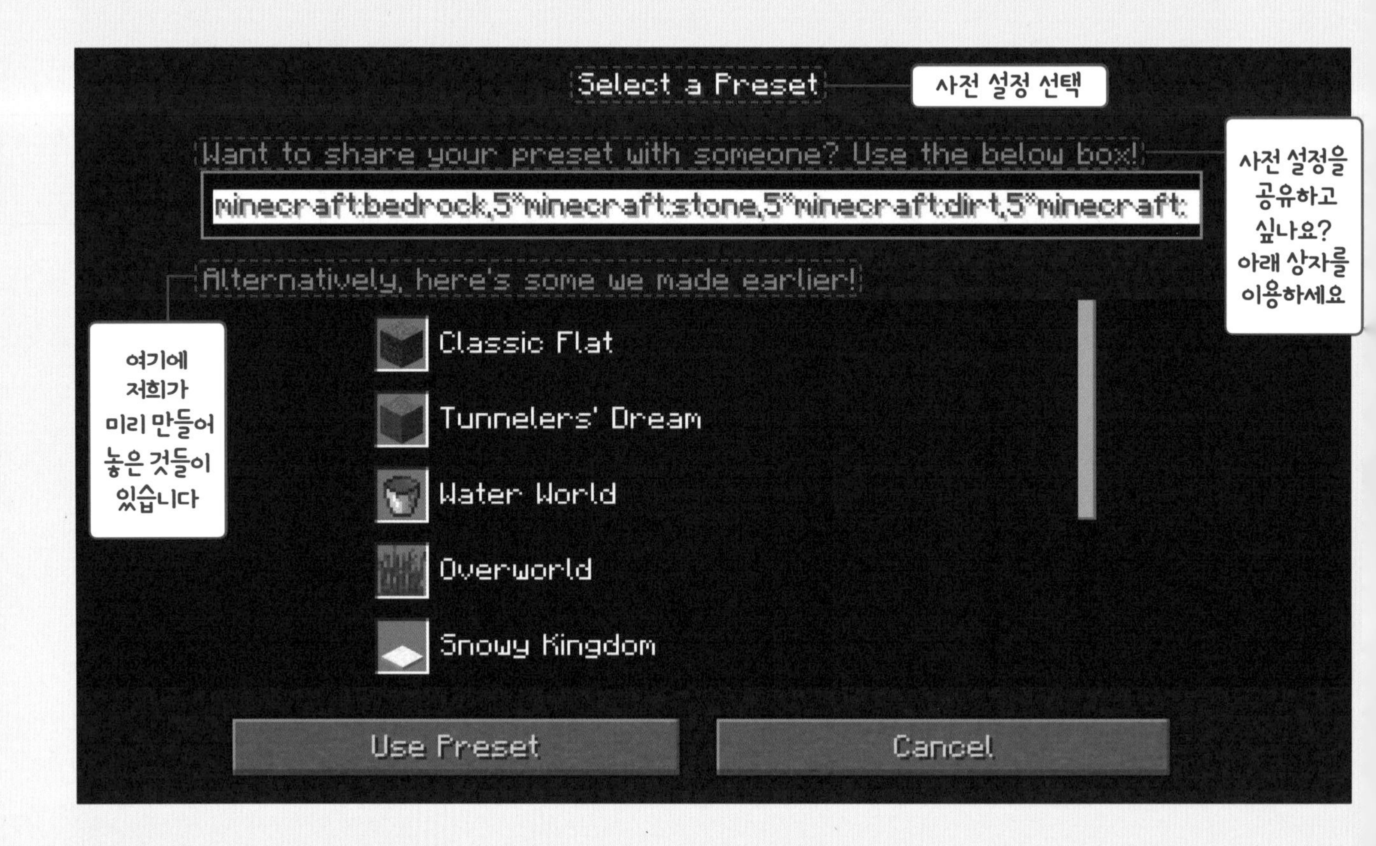

3) 완전한 평지 사전 설정 세계의 코드에 대해 보다 자세히 알고 싶다면, 공식 마인크래프트 위키피디아 사이트에서 '완전한 평지'를 검색해 보세요.

10. 다음과 같이 바꿉니다.
    - 5*minecraft:stone을 45*minecraft:stone으로 바꿉니다.
    - 90*minecraft:water를 15*minecraft:water로 바꿉니다. 이렇게 하면 수면에서 난파선까지 접근할 수 있습니다.
    - deep_ocean을 lukewarm_ocean으로 바꿉니다. 이렇게 하면 해저 유적이 생성되는 것을 방지할 수 있습니다.
    - biome_1을 biome_1,decoration으로 바꿉니다. 텍스트 사이에 공백이 없어야 합니다. 이렇게 하면 켈프 같은 장식용 블록이 생물 군계와 함께 생성될 수 있습니다.

이제 다음과 같은 새 코드가 나타날 것입니다.

minecraft:bedrock,45*minecraft:stone,5*minecraft:dirt,5*minecraft:sand,15*minecraft:water;minecraft:lukewarm_ocean;oceanmonument,biome_1,decoration

다시 한 번 강조하지만 공백이 없어야 합니다. 그리고 틀린 철자가 없는지 확인하고 사전 설정 사용을 클릭합니다.

11. 완전한 평지 사용자 지정에서 변경 사항이 레이어 목록에 반영된 것을 확인할 수 있을 것입니다. 완료를 클릭합니다.

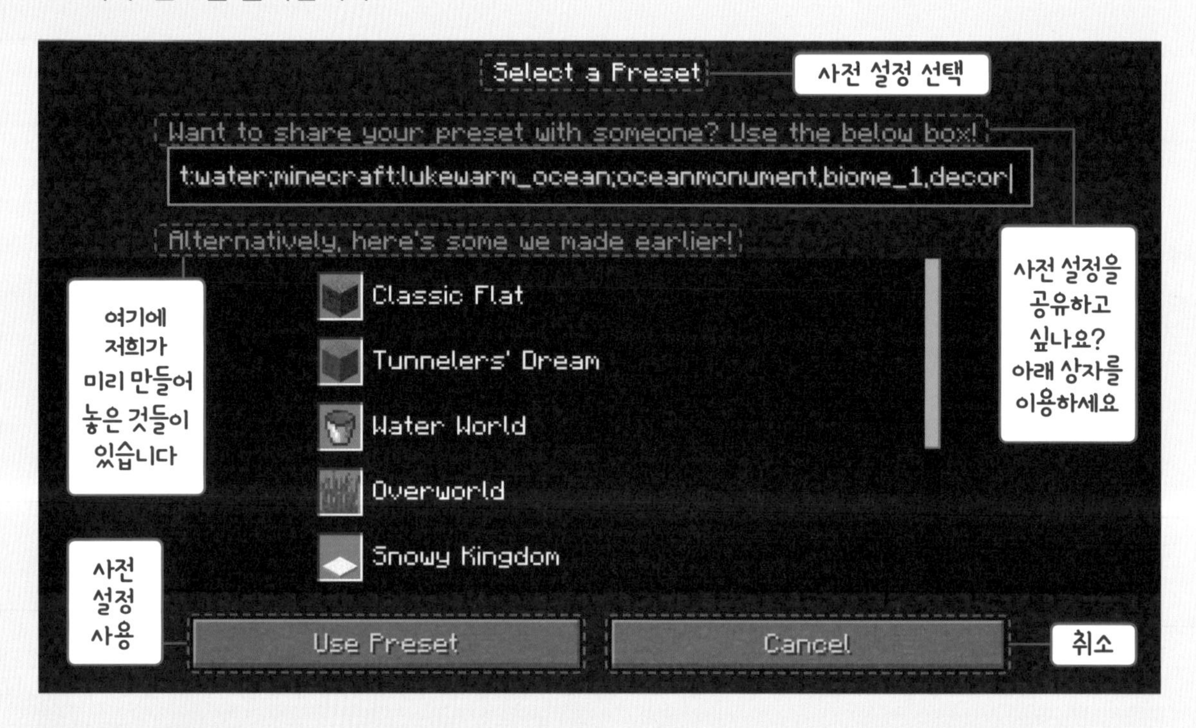

12. 새로운 세계 만들기: 고급 세계 설정 화면에서 새로운 세계 만들기를 클릭합니다.

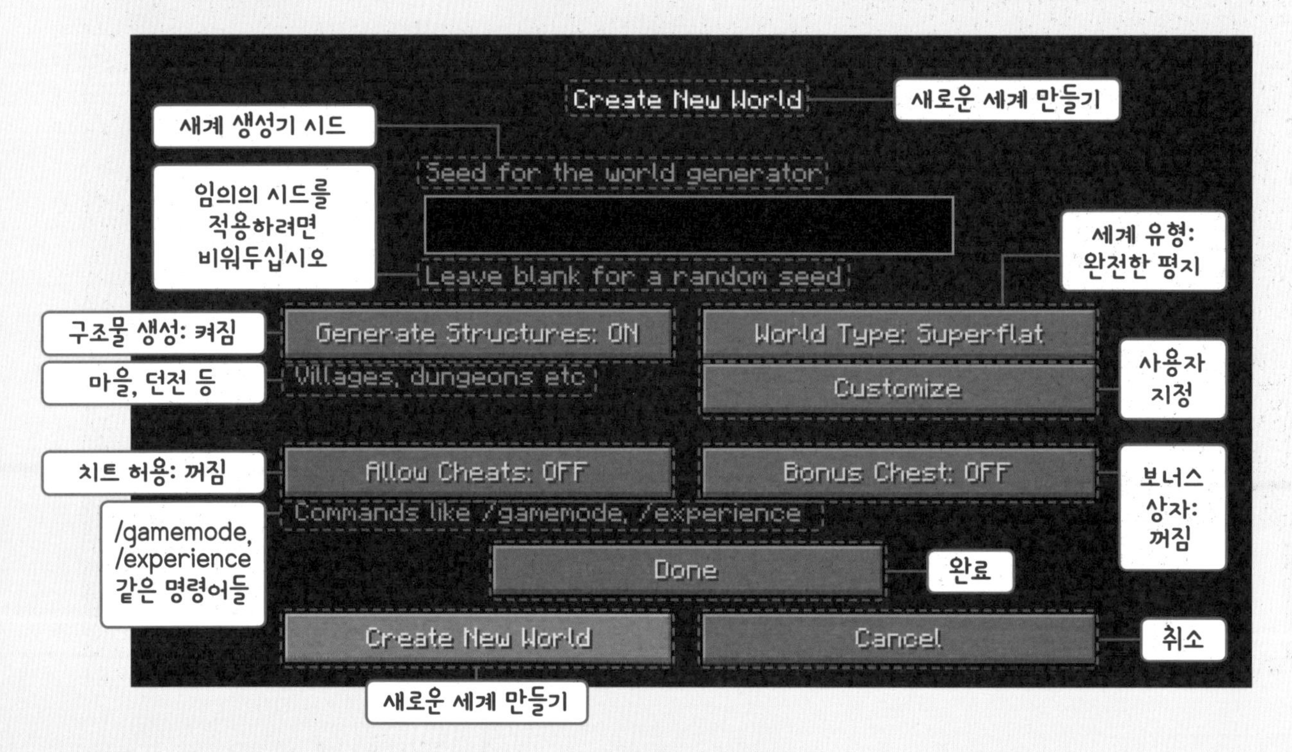

뷔페 세계 사용

뷔페 세계는 모든 세계가 하나의 생물 군계로 이루어진 세계 유형입니다. 악지에서 나무가 우거진 산에 이르기까지 마인크래프트의 모든 생물 군계에서 원하는 생물 군계를 뷔페처럼 선택할 수 있습니다.

다음 세 가지 세계 생성 유형 가운데 하나를 선택할 수 있습니다. 땅 위에 하늘이 있는 평범한 세계 유형인 '지면', 완전히 동굴로 이루어진 세계인 '동굴', 공허 위에 떠 있는 섬들로만 이루어진 '공중 섬'이 있습니다. 먼저 앞서 설명한 단계에서 1~3단계까지 따라서 마인크래프트를 시작하고 새로운 세계 만들기를 선택한 다음 고급 세계 설정 화면을 엽니다.

1. 고급 세계 설정 화면에서 세계 유형 버튼을 몇 번 클릭하여 뷔페로 바꿉니다. 그런 다음 사용자 지정 버튼을 클릭하세요.

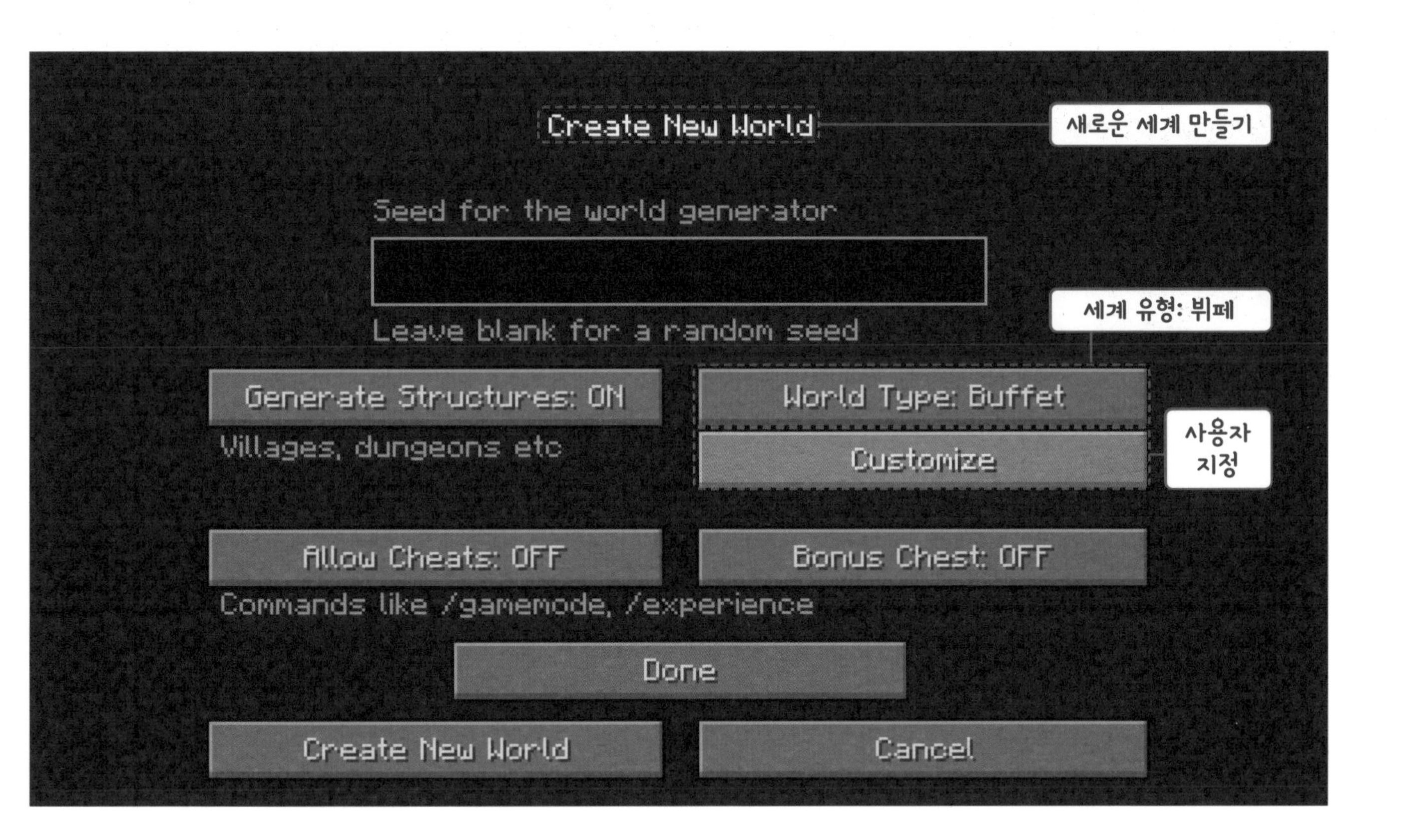

2. 뷔페 세계 사용자 지정 화면에서 바다 생물 군계를 선택합니다. 따뜻한 바다와 얼어붙은 바다는 피하는 것이 좋습니다. 따뜻한 바다와 얼어붙은 바다 생물 군계들에는 좋은 식료품 공급원이 될 수 있는 켈프가 없기 때문입니다. 완료를 클릭합니다.

3. 새로운 세계 만들기 화면에서 새로운 세계 만들기를 클릭하여 새로운 물의 세계를 시작합니다.

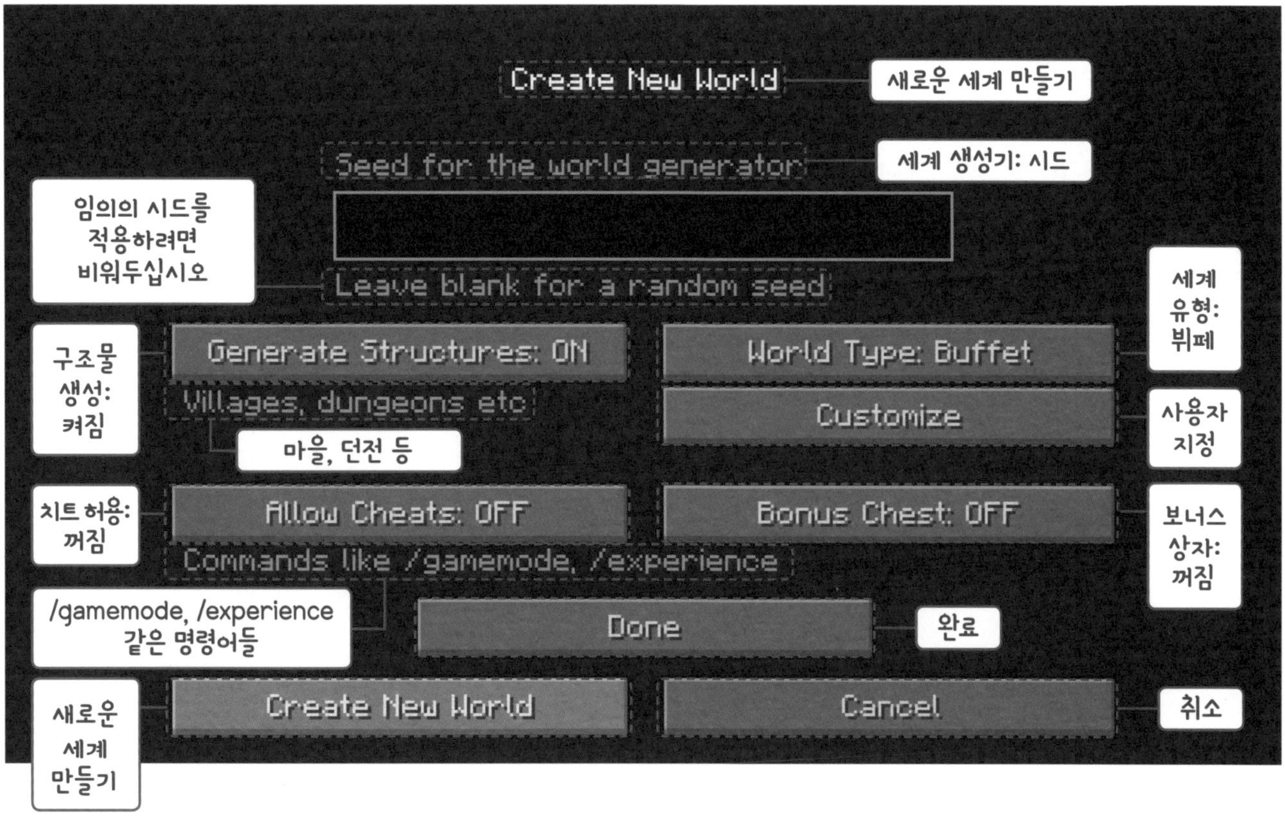

Create New World — 새로운 세계 만들기

Seed for the world generator — 세계 생성기: 시드

Leave blank for a random seed — 임의의 시드를 적용하려면 비워두십시오

Generate Structures: ON — 구조물 생성: 켜짐

Villages, dungeons etc — 마을, 던전 등

World Type: Buffet — 세계 유형: 뷔페

Customize — 사용자 지정

Allow Cheats: OFF — 치트 허용: 꺼짐

Commands like /gamemode, /experience — /gamemode, /experience 같은 명령어들

Bonus Chest: OFF — 보너스 상자: 꺼짐

Done — 완료

Create New World — 새로운 세계 만들기

Cancel — 취소

WXYZ

따뜻한 바다 Warm Ocean

따뜻한 바다 생물 군계는 모든 바다 생물 군계 중에서 물이 가장 밝은 녹색입니다. 해저는 대부분 모래로 이루어져 있고 바다를 밝히는 불우렁쉥이도 있습니다. 따뜻한 바다는 산호초와 열대어를 볼 수 있는 유일한 생물 군계입니다. 또 복어와 해초, 종종 해저 폐허와 난파선도 볼 수 있습니다.

깊고 따뜻한 바다는 자연적으로 만들어지지 않습니다. 보통 물이 따뜻한 이유는 물 깊이가 얕을 때인데, 물이 얕으면 태양이 물을 더 빨리 데우기 때문입니다. 하지만 게임 속에는 깊고 따뜻한 바다가 있습니다. 완전한 평지나 뷔페 세계에서 깊고 따뜻한 바다 생물 군계를 지정할 수 있습니다.

함께 보기: 생물 군계, 물 생물 군계

물 Water

물은 넓게 퍼지는 블록입니다. 마인크래프트 오버월드에서 생성되면 호수, 바다, 강, 샘[4], 우물이 됩니다. 물은 마인크래프트에서 가장 특이하고 복잡한 블록일 것입니다. 물은 흐르거나 사방으로 퍼질 수 있고, 양동이로 퍼서 다른 곳에 배치할 수도 있으며, 가마솥에 넣을 수도 있습니다.

물 근원 블록은 전체 블록 영역이 물로 된 블록입니다. 물 근원 블록 옆에 빈 블록이 있으면 흐르는 물 블록이 만들어지고 최대 7블록까지 퍼집니다. 지형이 낮아지면 더 멀리 퍼질 수 있습니다. 플레이어와 몹은 흐르는 물 때문에 밀려날 수 있습니다. 이 기능은 몹 농장에서 개체를 죽음의 방으로 옮기는 데 자주 사용합니다.

물에서는 수영으로 이동할 수 있고 얕은 물은 걸어서 건널 수도 있습니다. 수영 속도는 물의 흐르기, 수심, 상태 효과에 따라 달라집니다. 또 달리기 수영을 하는지, 아래로 가는지, 위로 가는지, 회전하는지에 따라서도 달라집니다. 물속에서는 채굴 속도가 느려지고 시야가 제한됩니다. 또 수면 아래에서는 위로 쌓여 있는 물 블록의 수만큼 빛 레벨이 감소합니다.

물은 물 블록을 특이한 블록으로 만드는 몇 가지 특성을 가지고 있습니다. 익사 피해를 통해 몹과 플레이어에게 피해를 줍니다. 대신 마른 스펀지를 이용해 물을 흡수할 수 있으며, 콘크리트 가루를 콘크리트로 바꿀 수 있습니다.

물의 색은 생물 군계마다 다릅니다. 따뜻한 쪽 바다는 차가운 쪽 바다보다 밝고 녹색을 띱니다. 또 온도가 내려갈 때마다 어두워지고 파란색이 짙어집니다. 늪에서는 탁한 갈색을 띤 녹색으로 바뀝니다.

함께 보기: 수영, 침수

4) 샘은 산에서 찾을 수 있는 단일 블록으로, 산비탈을 따라 흐릅니다.

침수 Waterlogging

침수는 일부 비고체 블록의 빈 공간이 물 근원 블록으로 채워지는 것을 말합니다. 침수된 비고체 블록이 부서져도 물 근원은 남습니다. 침수 덕분에 울타리나 벽 같은 물체를 물속에 배치할 때 주변의 물 블록과 배치한 물체 사이에 어색한 틈이 생기지 않습니다. 현재 침수가 되는 블록은 수생 동식물, 상자, 울타리, 유리판, 철창, 아이템 액자, 사다리, 표지판, 반 블록, 계단, 다락문, 벽 등이 있습니다.

노랑양쥐돔 Yellow Tang

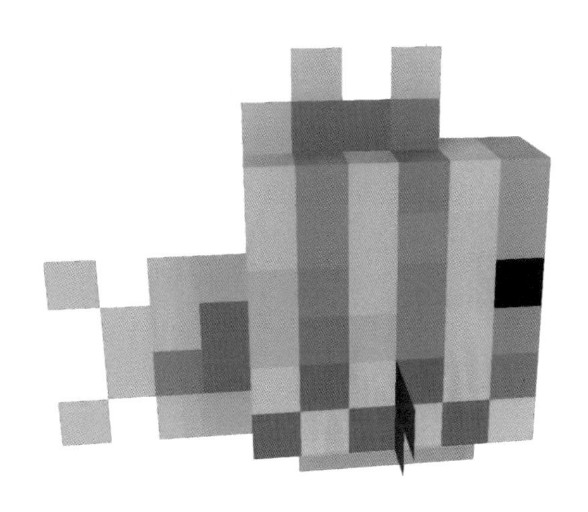

노랑양쥐돔은 실제 물고기 이름을 딴 마인크래프트의 22가지 열대어 가운데 하나입니다. 마인크래프트 색상 및 무늬 구성표에서 노랑 줄무늬입니다. 실제 노랑양쥐돔은 양쥐돔과에 속합니다. 바다거북의 피부에 붙은 해조류를 갉아 먹어 청소해 주는 것으로 유명합니다.

함께 보기: 긴코 양쥐돔, 남양쥐돔, 열대어

노랑꼬리 비늘돔 Yellowtail Parrotfish

노랑꼬리 비늘돔(베드락 에디션에서는 노랑꼬리비늘돔)은 실제 물고기 이름을 딴 마인크래프트 열대어 가운데 하나입니다.

마인크래프트 색상 및 무늬 구성표에서 청-노랑 날쌘돌이입니다. 붉은지느러미 비늘돔이라고도 하며 비늘돔과에 속합니다. 비늘돔은 부리 같은 입을 가지고 있어서 앵무고기라고도 합니다. 30cm 넘게 자랄 수 있으며 카리브 해에 주로 서식하고 있습니다.

함께 보기: 비늘돔, 열대어

마인크래프터를 위한 특별 이벤트

초판 한정

퀴즈 맞히고, 마인크래프트 레고 받자!

<마인크래프트 최강 전략 백과 : 아쿠아틱>
출간 기념 퀴즈 이벤트에 참여하시면 정답자 중 추첨을 통해
20분께 마인크래프트 레고(산호초)를 드립니다.

★ 참여 방법

❶ 오른쪽 QR 코드를 스마트폰의 QR 코드 리더기로 스캔하세요.
❷ QR 코드 스캔 후, 링크로 들어가 〈마인크래프트 최강 전략 백과: 아쿠아틱〉 퀴즈 설문에 참여하세요.
❸ 이벤트 응모 정보를 꼼꼼하게 적어 제출하세요.

★ 이벤트 기간

2022년 6월 20일 ~ 2022년 7월 15일까지

★ 당첨자 발표

2022년 7월 19일 서울문화사 어린이책 카카오톡 채널 공지
(카카오톡 채널 검색에서 '서울문화사 어린이책'을 검색하세요.)
※당첨 선물 레고의 종류는 판매처 상황에 따라 달라질 수 있습니다.

원작 메건 밀러 번역 강세중

1판 1쇄 인쇄 | 2022년 5월 16일 1판 1쇄 발행 | 2022년 6월 6일

발행인 | 조인원 편집장 | 최영미 편집자 | 김시연, 조문정
표지 및 본문 디자인 | 박수진 출판 마케팅 | 홍성현, 경주현 제작 | 이수행, 오길섭
발행처 | 서울문화사 등록일 | 1988년 2월 16일 등록번호 | 제2-484
주소 | 04376 서울특별시 용산구 새창로 221-19
전화 | 02)791-0754(구입) 02)799-9171(편집) 팩스 | 02)790-5922(구입)
출력 | 덕일인쇄사 인쇄 | 에스엠그린

ISBN 979-11-6438-042-8 14690